1日1時間!

月**30**万円稼ぐ

インスタ副業

バズカレッジ代表
溝口優也
MIZOGUCHI YUYA

幻冬舎MC

１日１時間！
月30万円稼ぐインスタ副業

はじめに

　副業を始めてみたいけれど、何がいちばん良いのか分からない──。

　もう少し自由に使えるお金を増やしたかったり、老後が不安になってしまったりするなかで、どうにかして収入を増やせないかと副業を考える人は少なくありません。
　しかしほとんどの人は、仕事や家事の合間を縫って打ち込めるほどの時間的な余裕がなく、何か始めてみたいという思いを持ちながらも二の足を踏んでしまいがちです。また、本当に稼げるのか、自分に合った仕事だろうかといった不安も尽きません。

　私は現在SNS、そのなかでもInstagramで収益化を目指す人のためのスクールを運営しています。生徒数は業界内最大を誇り、料理のレシピアカウントで3カ月目に月10万円の収入を達成した人や、ヘアアレンジアカウントで4カ月目に50万円を得た人など、ゼロから始めて数カ月で収益化に成功し、その後も継続して利益を上げているインスタグラマーを多数輩出することに成功しています。
　SNSはいまや世界中で日常的に利用されており、使い方や用語なども理解している人がほとんどです。普段から趣味で投稿を続けている人であれば、その延長でお金を稼げるようになるため、

3

まさに「簡単で始めやすく、本業を持ちながら毎日短時間で取り組めるローリスクの副業」といえます。なかでも Instagram は自分が興味のある情報しか表示されないアルゴリズムが採用されているため、ユーザーのアプリ内滞在時間が長いという特性があります。また Instagram は特に若い世代における使用率が高く、株式会社 Macbee Planet が 2019 年に実施した調査によると、10 〜 20 代においては SNS のなかで Instagram が購入の動機になったと答えた人の割合が約 6 割を占めています。

　Instagram での投稿は画像や動画にちょっと言葉をプラスしてアレンジするだけなので、編集作業が簡単です。そのため、時間や労力をかけずに話題を呼ぶ投稿を作成できるという点においてほかの SNS とは異なり、個人がスキマ時間に取り組む運用でも無理なくフォロワー数を伸ばすことができます。そして継続した情報発信によって多くのフォロワーからの信頼を獲得し、フォロワーが広告の商品を買ってくれることで、収入につながるのです。

　本書では、1 日 1 時間の副業で月 30 万円稼ぐ Instagram の活用術を解説するなかで、SNS 副業を成功させるために必要な要素と収益化までの工程を、分かりやすく説明していきます。本書を参考にインスタ副業の世界に飛び込み、目標の収入額を実現していただければ幸いです。

目　次

PART **1**

空前の副業ブーム到来
副業で月30万円稼ぐならInstagram一択！

PART 2

7つのSTEPを踏めば誰でも稼げる
実践！インスタ副業

STEP
3 　**投稿の基本を理解する** ………………………… 80

PART 3

努力と工夫次第では月100万円以上も夢じゃない
自身のファンを増やし続け、インスタ副業を成功させる

空前の
副業ブーム到来

副業で月30万円稼ぐなら
Instagram一択！

▶ 将来のお金に対する不安が募る世の中

　低賃金、年金問題、増税など、お金に関するネガティブなニュースが飛び交う世の中、お金の不安を抱えている人は、世代を問わず増加の一途のようです。

　マネーインサイトラボが2022年、幅広い世代3000人を対象に実施した「お金の悩みに関する世代別意識調査」では、「お金について悩みや不安を感じたことは？」という問いかけに「ある」と答えた人は全体の約8割でした。貯蓄がなくてお金の不安を感じている人が多く、世代が上がっていくにしたがって、老後資金への懸念も増幅していく、という結果が出ています。

お金について悩みや不安を感じたことは?

ない
19.7%

ある
80.3%

5人に4人がお金のことで悩みや不安を抱えている

出典：マネーインサイトラボ「お金の悩みに関する世代別意識調査」(2022年)

PART
1

PART
2

STEP
1

STEP
2

STEP
3

STEP
4

STEP
5

STEP
6

STEP
7

PART
3

　私が運営に携わっている副業のスクールに来る多くの人も、現状の収入では不安だ、新しい収入源を見つけて安心を得たい、という思いから自分で稼げる方法を学んでいます。

　今の仕事を続けながら、副業で新しい収入の柱を立てる。この実践の有無で、将来の生活に対する不安の度合いは大きく変わります。大企業でも副業を許可している昨今の風潮からも、**お金の管理と将来にわたる計画は、自分で設計していかねばならない時代**であることがうかがえます。

　そういった背景も相まって、インターネットで「副業」と検索するとさまざまな副業のアイデアや斡旋広告を見ることができます。現代はまさに、**お金の不安から解放されたいがための空前の副業ブーム**なのです。

世代別お金の悩みや不安の内容

	全 体	Z世代	Y世代	X世代
①	貯蓄がない	貯蓄がない	貯蓄がない	老後の資金
②	老後の資金	お金の使い方・管理方法	将来の資金	貯蓄がない
③	将来の資金	収入が少ない	老後の資金	将来の資金

Z世代：1990年代中盤から2010年代中盤生まれ
Y世代：1980年代序盤から1990年代中盤生まれ
X世代：1960年代中盤から1970年代終盤生まれ

出典：マネーインサイトラボ「お金の悩みに関する世代別意識調査」（2022年）

▶ 副業したい! でも時間もスキルもない!

　とはいえ「副業をしよう」と思い立ったとして、すぐさま取り掛かれるものでもありません。そこにはいくつか乗り越えなければならないハードルがあります。

　<u>第一の問題は時間</u>です。本業や家事などに加えて、さらに新しい収入を得るための時間を確保することは容易ではありません。逆に副業に時間とエネルギーを取られて本業に支障をきたしてしまっても本末転倒な話です。**生活の中心となる時間と副業に費やす時間のバランスをうまく取っていくことが、副業を成功させ、長く続けていく大切なポイント**となります。

　最近では日常生活の中のちょっとしたスキマ時間を活用して働けるマッチングサービスも出ていて人気を博していますが、裏を返せばそれだけ私たちの生活に残されている時間の猶予はごくわずかということです。限られた時間のなかでいかに効率よく稼ぎを得られるか、これが自分に合った副業を選択していくうえで重要な判断材料となります。

　<u>第二の問題はスキル面</u>です。IT関連やグラフィック、クリエイティブ系など、専門知識や高いスキルを要求される副業であれば、やはり報酬は高くなります。しかし副業として考える場合にはそういったスキルを磨いている時間はありません。

PART
1

PART
2

STEP
1

STEP
2

STEP
3

STEP
4

STEP
5

STEP
6

STEP
7

PART
3

副業の系統一覧

副　業	例	特　徴
ネット・ 誰でもできる系	・データ入力 ・出品代行	高いスキルは要求されないため単価は安値傾向
ネット・ ノウハウ系	・転売 ・デイトレード	時間もスキルも要求度高め、競合が多く稼げないことも
体を動かす系	・配達 ・ポスティング	体力を使うため本業との両立が 困難、健康リスク高め
スキルを活かす系	・ウェブデザイン ・動画編集	高単価案件は多いものの、高いスキルが要求され納品までの工数も多い
趣味を活かす系	・ハンドメイド ・イラスト	趣味の延長とはいえ稼ぐには一定以上のスキルが必要
投資系	・株式 ・不動産	前提として資金が必要、失ってしまうリスクも

　この問題を一気に解決できるのが**インスタ副業**です。発想を転換して、空いた時間で副業をするのではなく、普段の生活のなかで行ってきた趣味や習慣を収入源に置き換えていく仕組みづくりを考えてみます。

　この仕組みを活用すれば、生活に必要な時間を削ることなく、また特別なスキルや面倒な作業も必要なく、自分自身も楽しみながら副業を始めることができるのです。

▶ 毎日1時間から始めるインスタ副業

　現代は多くの人がスマートフォンを日々当たり前のように使っています。MM総研が2023年に実施したアンケートでは、15〜69歳の男女の1週間あたりのスマートフォン利用時間は20時間ほどです。これは前回調査の2019年と比較して7時間も増えていて、スマートフォンがより人々の生活のなかで大きな割合を占めるようになっていることを物語っています。

　スマートフォンの用途としては「検索・情報収集」「SNS」「動画視聴」の3つが多く、週におよそ10時間を費やしています。「忙しい」がつい口癖となってしまう現代ですが、実際には電車での移動時間や休憩時間など、多くの人が何げなくスマートフォンを使用し、時間を消費しているのです。これらスマホ時間をお金に変換する感覚で副業をしてみようというのが、本書の最初の提案です。なかでも私は、世界でユーザー数が20億人を超えるといわれる巨大SNS、Instagramを使った副業を推奨しています。

　1日1時間から、趣味の延長としてやる副業は、前ページの副業の系統一覧でいえば、「ネット・ノウハウ系」と「趣味を活かす系」の間にある副業といえます。日常で楽しんでいるSNSに、ちょっとノウハウを足し算することで、自力で稼いでいく力を養っていくのです。

　実際に私が運営に携わっているインスタ副業のスクールでは、このやり方でこれまでたくさんの実績者、稼げるインスタグラマーを輩出することに成功しています。

PART
1
PART
2
STEP
1
STEP
2
STEP
3
STEP
4
STEP
5
STEP
6
STEP
7
PART
3

▶ なぜInstagramが最適なのか

　X（旧Twitter）やYouTubeなど、スマホを使った稼ぎ方はいくつもありますが、そのなかであえてInstagramを推奨するには3つの理由があります。

　1つ目に「取り組みやすさ」です。Instagramは写真や動画などのビジュアルに特化した投稿が主体のSNSです。スマホ撮影さえできれば誰でも簡単にアカウント運用でき、バズやフォロワーアップを狙えるので、非常に取り組みやすいSNSだといえます。

▼Instagramの利用目的

Q. Instagramの利用目的として多いのは以下のどれですか？

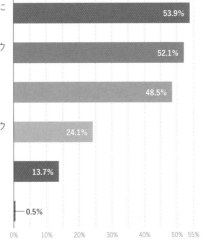

趣味や興味のある特定カテゴリーの事柄についての投稿を見る	53.9%
実際に知り合いではないお気に入りのアカウント（特定の人）の投稿を見る	52.1%
友達や知人とのコミュニケーション	48.5%
実際に知り合いではないお気に入りのアカウント（特定の人）とのコミュニケーション	24.1%
購入する商品を探す	13.7%
その他	0.5%

0%　10%　20%　30%　40%　50% 55%

▲情報収集のほか、購入目的で利用するユーザーも多いのがInstagramの特徴

出典：ホットリンク「Instagramの利用動向に関する調査」（2022年）

空前の副業ブーム到来　副業で月30万円稼ぐならInstagram一択！

2つ目は「ユーザーの意向」です。Instagramは情報収集目的の
ユーザーが多いことで知られており、購買意欲の高いユーザーも
年々増加傾向です。そのため、情報収集から購入までの意思決定が
速いユーザーをターゲットにしたビジネスが盛り上がっています。

▼Instagramでの商品購入経験

Q. Instagramの投稿を見たことがきっかけで、商品を購入したことはありますか?

46.2%
Instagramで見たことがきっかけで商品を購入したことが **ない**

53.8%
Instagramで見たことがきっかけで商品を購入したことが **ある**

▲Instagramきっかけで購入したことのあるユーザーは全体の半数を超える

出典：ホットリンク「Instagramの利用動向に関する調査」(2022年)

PART
1

PART
2

STEP
1

STEP
2

STEP
3

STEP
4

STEP
5

STEP
6

STEP
7

PART
3

　3つ目に、これが最も重要なInstagram副業推奨の理由ですが、**「人による拡散機能を持たない」**点です。ほかのSNSの場合は、Facebookのいいね！やXのリツイート機能のように、コンテンツを見た人がシェアすることができます。それに対してInstagramは人から人へと人工的に情報を拡散させていく仕様にはなっていません。Instagram自身が情報を精査し、ほかのユーザーへと拡散させていくか否かを判断しています。

インスタ副業をすすめる3つの理由

理由① 取り組みやすさ

ビジュアル主体、編集スキルや文章力が求められないのでハードルが低い

理由② ユーザーの意向

情報収集目的のユーザーが多く、購入意思決定が速い

理由③ 人による拡散機能を持たない

インスタ自身が拡散権限を握る ＝ 影響力が
小さいユーザーでもバズる可能性大

このInstagram特有の仕様を把握してアカウントを運用してい
ければ、フォロワー数が少ない無名の状況でもバズを演出するこ
とができます。

　今さらになって、Instagramでの副業をスタートしてももう遅い、
と考える人もいるかもしれません。もちろん、何事も早く始めた人
には先行者利益がありますが、すでに多くの人たちが参入している
Instagramには、ある程度の攻略法が確立されています。本書で紹
介している7つのSTEPを踏み、仕組みを理解しておくことで効率
よく、Instagramを副業にすることができるはずです。また、ほか
のSNSは先行者優位の傾向が強く、たくさんのフォロワーを抱え
ているアカウントだけが勝てて新規参入者には厳しい現状となって
いますが、新参にもやさしいのがInstagramなのです。

　SNSで収入を得るにはフォロワーは欠かせません。このフォロ
ワーを増やすまでのステップを踏みやすいのがInstagramです。し
かしInstagramの特性を理解せず、正しいステップを踏まずに運用
していても、発信する情報が拡散されることはなく、フォロワーは
増えないままです。インスタ副業の仕組みを十分に理解して、正し
い運用法を学ぶ段階は成功のために欠かせないものです。

PART
1

PART
2

STEP
1

STEP
2

STEP
3

STEP
4

STEP
5

STEP
6

STEP
7

PART
3

▶ 情報収集は"ググる"から"タグる"へ

　もう1点、SNSを使った副業の追い風として理解しておきたいのが、ユーザーの情報収集に対する行動起点です。

　2010年代頃までは、インターネットを使った情報収集の定番は、GoogleやYahoo!など検索サイトでの検索、いわゆる「ググる」が主体でした。しかしSNSの使用頻度が上がり、便利な機能が充実していくとともに、検索するならまずSNSという人も増え始めています。

　検索結果の情報量でいえば、依然としてググるほうが圧倒的に有利です。しかしその情報量ゆえに、本当に知りたい情報が引き出しづらくもなってきました。

　例えば購入を検討している商品の使用感を知りたくてググったところ、商品を扱う販売サイトや情報ポータルサイトが検索上位を占め、本当に欲しい個人の感想が見つけられなくて困惑することがあります。

　また、飲食店を探したいときに、料理や値段だけでなく店の雰囲気や接客が知りたくてググっても、実際に店を訪れた人のリアルな感想に出合うのにはとても苦労します。

このように真実の情報、生の声を集めるのに「ググる」はもはや適さなくなってきています。代わって台頭するようになってきたのが、SNS上で使われる「#」から始まる「ハッシュタグ」です。

"ググる"と"タグる"の違い

ググる（グーグル検索）	タグる（インスタグラム検索）
誰か（関わりのない人）が発信する客観性・網羅性のある情報	興味のある・近い属性の人が発信する信頼のおけるリアルな情報

ググる（グーグル検索）

Q 検索 ✕

Q 渋谷 ランチ おすすめ

Q コスメ 新作 トレンド

Q 育児 レシピ 簡単

Q 掃除機 コスパ

Q 草津 温泉 カップル

タグる（インスタグラム検索）

Q # 検索 ✕

Q # ○○
（商品 or レストラン or ホテル名）

Q # 渋谷ランチ

Q # メガ割購入品

Q # 購入品レポ

Q # 一人暮らし女子

PART
1

PART
2

STEP
1

STEP
2

STEP
3

STEP
4

STEP
5

STEP
6

STEP
7

PART
3

　検索サイトが量なら、Instagram内検索は質で勝負できます。例えば「#東京のおいしいスイーツ」というハッシュタグで検索すれば、実際にお店へ足を運んだユーザーの情報が一気に結果表示されます。店内の様子やスイーツの写真だけでなく、実際に食べたユーザーの感想などもサクサクと掘り起こすことができるのです。さらに「タグる」では、その分野に興味のあるユーザーが、常に最新の情報をアップしてくれるため、リアルタイムで情報を手に入れることができるのも大きなメリットといえます。しかもInstagramの仕様上、自分と好みが近いユーザーのレビューが上位に来るようになっているので、より参考材料としての価値が高くなります。

「生の声を聞いてから判断したい」というユーザーの要求を満たす手段は、**今後ますます「ググる」から「タグる」へと移行**していくと思います。商品購入の玄関口として、Instagramで「タグる」がさらに重宝されていくのは間違いありません。

　その流れを利用して、Instagramで副業を実践し結果を出しているユーザーが、これからたくさん輩出されることと思います。

1日1時間!
月30万円稼ぐインスタ副業

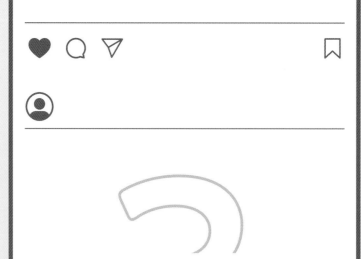

PART 2

7つのSTEPを踏めば
誰でも稼げる

実践！インスタ副業

Instagramの特性を理解する

▶ 発信者と受信者それぞれのメリット

　なぜInstagramなら誰でも副業として収入源にすることが可能なのか、その理由は、**Instagramがビジュアル主体**という特性を有しているからです。

　Instagramには情報を発信する側と受信する側にとって、次のようなメリットがあります。

発信者のメリット

・画像や動画投稿がメインなので運用負担が少ない

・ユーザーの環境や価値観などによってさまざまな解釈ができてしまう文章とは異なり、ダイレクトかつターゲット特化の訴求がしやすい

・ブログやほかのSNSと比べてアクセスされるスピードが速い

受信者のメリット

・欲しい情報を簡単な工程で瞬時に手に入れやすい

・文字ベースでは内容を頭で処理するまでに時間がかかるが、画像ベースなら圧倒的に高速で処理できる

・受動的に親和性の高い情報が取れるのでタイムパフォーマンスが高い

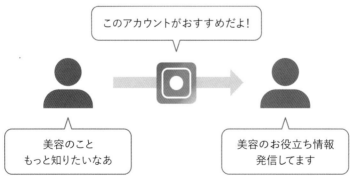

　画像や動画といったビジュアルが主体のInstagramは、届けたい情報をダイレクトに発信することができます。一方、受け取る側にとっても効率よく欲しい情報を引き出せるので、世界的に支持の高いSNSに育っているのだと推測できます。

　このようなInstagramの特性をよく理解して適切に運用していけば、時間に余裕のない個人でも順調にフォロワー数を伸ばしていき、収益化へとつなげていくことが可能です。

▶ Instagram運用の原理原則

　Instagramは「大切な人や大好きなことと、あなたを近づける」をミッションとしています。いわば人と情報の最適なマッチング達成を目指しているのです。

Instagramのミッション

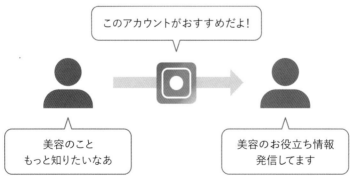

このアカウントがおすすめだよ！

美容のこと
もっと知りたいなあ

美容のお役立ち情報
発信してます

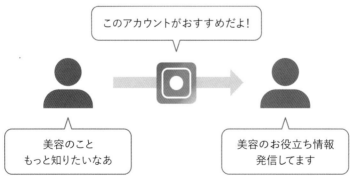

PART 1
PART 2
STEP 1
STEP 2
STEP 3
STEP 4
STEP 5
STEP 6
STEP 7
PART 3

7つのSTEPを踏めば誰でも稼げる 実践！インスタ副業

STEP1 Instagramの特性を理解する

Instagramは日々発信されている大量の投稿とユーザーの関連性を判読し、興味が湧く情報を適切に届けられるような仕組みを構築しています。発信者が届けたい情報を、本当に必要としているユーザーへと届けられるよう働きかけているのがInstagramなのです。

　この距離を近づけるための要素はいくつかあり「シグナル」と呼ばれています。シグナルの代表的なものとしては「いいね」や「保存」といった投稿への反応（エンゲージメント）が挙げられます。つまりあらゆる投稿は、どのユーザーにとってどれだけ役に立つものなのか、シグナルによる評価方式で常に計測されているのです。

投稿はInstagramによって評価されている

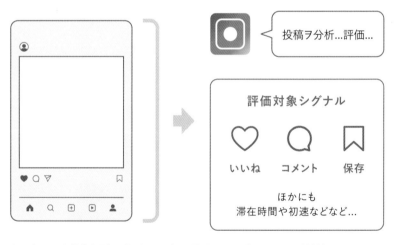

▲シグナルから投稿を評価、どんなユーザーへ届けるべきかをInstagramが判断

このInstagramの原理原則を十分に理解して運用すれば、情報を届けたい相手に思うように届けることもできますし、フォロワー数を大きく伸ばすことも可能です。自慢のすてきなコンテンツを発信して、より多くの反応が得られるようになるのです。

そのためにも、まずはシグナルを通して投稿を評価しているInstagramのシステムを攻略する必要があります。

▶ Instagramの特性と親密度の関係

そもそも投稿がたくさんの人の目に触れるためには、ホーム画面に投稿が表示されないといけません。

ホーム

▲フォローしているユーザーの投稿はホーム画面に表示される

PART 1

PART 2

STEP 1

STEP 2

STEP 3

STEP 4

STEP 5

STEP 6

STEP 7

PART 3

7つのSTEPを踏めば誰でも稼げる 実践！インスタ副業
STEP1 Instagramの特性を理解する

ここで注意したいのは、Instagram はフォローしているユーザー
すべての投稿が、必ずホーム画面の上位に表示されるわけではない
点です。シグナル要素を通して評価した結果、ホーム画面に上位表
示する順序を、Instagram が決めています。ですから評価が低い投
稿は、たとえフォローし合っているユーザーのホーム画面であって
も、表示される機会には恵まれないのです。

フォロワー増加のサイクル

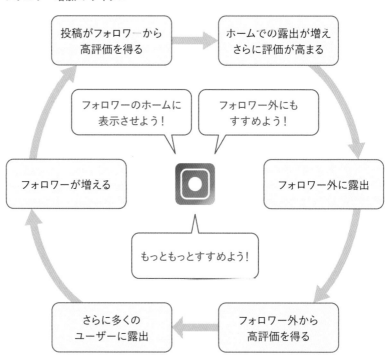

PART
1

PART
2

STEP
1

STEP
2

STEP
3

STEP
4

STEP
5

STEP
6

STEP
7

PART
3

　言い換えれば、ホーム画面に上位表示されるのは時系列順ではなく、発信者とフォロワーとの「親密度」の高さ順であるということです。

　フォロワーのホーム画面に自分の投稿を頻繁に露出させたければ、普段からフォロワーとの関係づくりを意識し、いいねをしてもらったり保存してもらったりして、親密度を高めておく必要があります。この繰り返しによって、たくさんのフォロワーに投稿が露出していき、さらにはフォロワー外にまで投稿が露出していくようになります。

　ほかのSNSだとバズやフォロワー増加の流れは人に依存する部分が大きく、面白画像といった最大瞬間風速の強い投稿が優先的に露出される傾向にあります。バズる素材をつかめるかどうかという運の要素が強めです。しかしInstagramはInstagramの仕組みによって拡散の流れがつくられています。有益なコンテンツを発信し続けていれば、Instagramに評価され、自然とフォロワーを増やしていくことができます。

▶ 運用序盤は「Instagramに評価される」を意識する

　Instagramとユーザーの両方から評価され支持されることが理想の運用ですが、まずはInstagramに評価してもらうのを優先すべきです。なぜなら、Instagramに認めてもらえないと、そもそもホーム画面の露出すらかなわないからです。

　どんなジャンルの情報を発信しているのか、どういった傾向のユーザーにフォローされているのか、これら**自アカウントのコンセプトをInstagramにはっきりと認識してもらう**ようにしなければなりません。

Instagramに評価されやすい運用

美容　　美容　　美容

美容　　旅行　　健康

投稿ジャンルが美容系で一貫しているから、美容に興味のあるフォロワーにおすすめしよう！

いろいろなジャンルが交ざっていておすすめしにくい……

そのためにはあれもこれもと欲張らずにテーマを絞り込むことが必要です。さらにターゲットとなるユーザーの傾向を想定し、その人たちに支持されるような投稿をしていくことが大事です。

▶ フォロワーが増えたら「親密度」アップを意識する

フォロワー数が100人程度まで増えたら、フォロワーに評価され親密度を高めていくことを意識していきましょう。

> **フォロワーとの主な親密度アップ方法**
> ・フォロワーが関心を示す情報を提供する
> ・フォロワーとの接触機会を増やす
> ・いいねや保存などの反応を増やせるよう工夫する
> ・プロフィールへのアクセスを増やす

フォロワーが関心を示す情報を提供するには、<u>日々の投稿の反応を分析しながら判断</u>していくことになります。フォロワーとの接触機会としては、ストーリーズを利用するのが最適です。ストーリーズはフォロワーとのコミュニケーションを図る目的で生み出された機能なので、親密度アップに直結するととらえておきましょう。

PART 1
PART 2
STEP 1
STEP 2
STEP 3
STEP 4
STEP 5
STEP 6
STEP 7
PART 3

7つのSTEPを踏めば誰でも稼げる　実践！インスタ副業
STEP1　Instagramの特性を理解する

▶ フォロワー外に露出するための方法

フォロワーに露出する場所はホーム画面です。ではフォロワー外に露出するにはどういった経路があるかというと「**ハッシュタグからの露出**」と「**発見タブからの露出**」、大きく２つのタイミング**グ**があります。

① ハッシュタグからの露出

ハッシュタグとは、「#」のあとにキーワードや文章を付けたタグを付与し、ユーザーが情報収集しやすくする機能のことです。投稿内でハッシュタグを使うことで、ハッシュタグ検索結果に投稿が表示されるようになります。

投稿時のハッシュタグ使用法

・投稿欄の最後にまとめてつける

・キャプションの中に紛れ込ませる

ハッシュタグに関する注意事項

・「#」は必ず半角を使う

・句読点や一部の記号は使用できない

・半角スペースを入れるとそこでハッシュタグは一区切り

・１投稿あたりハッシュタグは30個まで使える

PART 1
PART 2
STEP 1
STEP 2
STEP 3
STEP 4
STEP 5
STEP 6
STEP 7
PART 3

ハッシュタグ検索の結果画面に投稿が露出するようになれば、<u>運用序盤のフォロワー数100程度のアカウントでも、1回の投稿で数万レベルの開封を狙う</u>ことができます。ハッシュタグの使い方一つで、フォロワー外のユーザーにも届く投稿となります。

ハッシュタグ使用例

いつもたくさんのいいねありがとうございます🖤

―――――――

今回は👆
＼保存版！パーソナルカラー別／
#ロムアンド コスメ比較••

大人気韓国コスメブランド
「ロムアンド」のコスメを
パーソナルカラー別で比較してみたよ〜🌸

やっぱロムアンドってカラー展開豊富で
何個も持ってたくなっちゃう😍😍

これはお買い物の時に役立つはずだから
忘れないように保存しておいてね🥰

🖤 可愛く綺麗になりたい
🖤 大人の自分磨き
など役立ち情報を発信しています🖤

『保存』すると自分のお気に入りフォルダがつくれるよ🤍

#プチプラ #プチプラコスメ #韓国コスメ #大人かわいい #アラサーコスメ #アラサー女子
コメント 2件をすべて見る

キャプションの中にハッシュタグを紛れ込ませることで、キーワードが目立つというメリットもあります。

ハッシュタグの上限は2024年2月時点では30個までです。付けすぎてしまい、関心度の低いユーザーまで取り込んでしまうことが発生しないように、きちんと選定する必要があります。

投稿欄の最後にまとめてつける例

の参考にしていただけるかと思いますので、コメントもしていただけたら嬉しいです😊

つきとほし☆日本No.1の星野リゾートオタク夫婦
@tuki__to__hoshi
🧠 元理学療法士　おぶに
👩‍⚕️ 看護師　おぱちぇ

👩‍⚕️ 病棟から逃げたい看護師のためのアカウントもあるよ！↓
@opache.nigenurse

🏨 毎月星野リゾートに行けるヒミツ↓
@opuni_tuki5man

#星野リゾート #子連れ旅行 #子連れホテル #子連れスポット #子連れ旅 #子供連れ旅行 #子供連れok #リゾナーレ #リゾナーレ八ヶ岳 #リゾナーレ熱海 #リゾナーレトマム #リゾナーレ那須 #界伊東 #青森屋
コメント 6件をすべて見る

キャプションの中に紛れ込ませる例

↓今回紹介したカフェ☕️

▶#バンタカフェ
📍沖縄県中頭郡読谷村儀間560

▶#jetsweets
📍沖縄県沖縄市泡瀬3-47-1

▶#fifiparlor
📍沖縄県名護市呉我大真利原1335-4

▶#浜辺の茶屋
📍沖縄県南城市玉城2-1

▶#カフェくるくま
📍沖縄県南城市知念字知念1190

次の旅行で行きたい方は忘れないように保存がおすすめ😊

②発見タブからの露出

　Instagramユーザーの50％以上が利用しているのが発見タブです。ここに露出することで、フォロワー外からのたくさんの流入が期待できます。

　発見タブに露出することで、たった一つの投稿に対して数十万から数百万のアクセスがあり、フォロワーが1000以上増えてまさに大バズりするというケースもあります。

　発見タブに掲載されるには、コツコツと投稿を続けて、Instagramにどういったジャンルのアカウントなのかを認知してもらう必要があります。狙って発見タブで露出するというよりは、投稿作業をこなした先に自然とやってくるものと思っておきましょう。**良質の投稿を地道に続けていくことが大事**です。

発見タブ

▲虫メガネのアイコンが発見タブ

PART
1

PART
2

STEP
1

STEP
2

STEP
3

STEP
4

STEP
5

STEP
6

STEP
7

PART
3

▶ Instagramを使った収益パターン

Instagramを使った収益化方法についてはいくつか考えられます。

フォロワーとの親密度が高まっていれば、フォロワーはファン化し、おすすめする商品やサービスに対して購買意欲を高めてくれるようになります。

例えばネットショップを開いてInstagram経由でフォロワーを促し、オリジナルグッズやデジタルコンテンツ、OEM商品や仕入れた商品を販売する、というのも収益化方法の一つです。

ただこの方法は販売まで多くの工数がかかり、技術や営業スキルも問われるので、時間の取れない個人が副業で行うのはあまり現実的ではありません。

ほかにはInstagramのライブ配信機能を用いて、投げ銭で稼ぐという方法もあります。この場合はフォロワーを熱心なファンにまで仕上げられているといいですが、かなり属人的な部分が強く、安定収入化するのは難しいです。

収益パターン6選

アフィリエイト	固定PR案件	コンテンツ販売
インスタライブ	運用代行	広告収益

▶ アフィリエイトの活用

　本書を通して学んでほしい**収益化方法の第一歩は、個人のスキルを問われることなく、時間が限られている人でも稼げるアフィリエイト**です。フォロワーが増えてきたタイミングでアフィリエイトを実践することで、収益化を実現します。

　Instagramに当てはめると、メディアが情報発信者です。投稿で情報を発信してフォロワーとの親密度を高めていく一方で、広告主と契約して紹介する商品を選定していきます。

アフィリエイトの仕組み

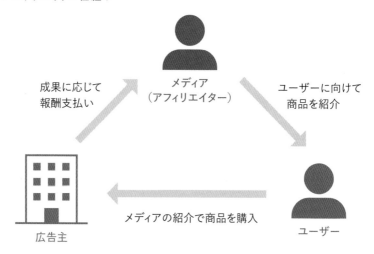

そして日々の投稿の間に適時、商品を紹介するPR投稿を発信します。**PR投稿を通して商品が購入されたら、広告主から情報発信者へ報酬が支払われます。**

　普段の投稿の合間にPR投稿を差し挟むのは、テレビでいうところのCM、雑誌でいうところの広告ページです。Instagram自体も投稿の合間に広告が出る仕様になっているので、アフィリエイトを利用した商品紹介はユーザーたちに自然と浸透しているため、違和感を与えることなく差し挟むことができます。

　ただし投稿の内容とあまりにかけ離れたPR広告は逆効果になりかねないので、注意が必要です。

PART 1

PART 2
STEP 1
STEP 2
STEP 3
STEP 4
STEP 5
STEP 6
STEP 7

PART 3

STEP1 Instagramの特性を理解する　7つのSTEPを踏めば誰でも稼げる　実践！インスタ副業

▶ Instagramは「インスタで収益化」を推奨している

「Instagramで個人が収益化に挑戦してもいいの？」と心配になるかもしれません。実はInstagram自身が、Instagramを活用した収益化をすべてのユーザーに推奨しています。

例えばストーリーズと呼ばれる投稿にはリンクを追加することができます。紹介した商品の販売ページをリンクすれば、収益化の導線を引くことができるのです。

この機能は、以前まではフォロワー数1万以上の限られたユーザーのみに与えられている権限でした。しかし現在では全ユーザー

アップデートにより少ないフォロワーでもアフィリエイトリンクを貼れるように

ポカポカ着圧 10週間前 ··· ✕

私服だと
こんな感じ♪

極暖の裏起毛タイプ♥

冷え性だから
仕事中も使ってる

🔗 公式サイト

Instagramは2021年10月27日（アメリカ時間）ストーリーズ投稿にリンクを追加できる「リンクスタンプ」をすべての利用者のアカウントで導入することを発表しました。（∞META公式より）

が利用できるところからも、Instagramは個人の収益化に前向きであることがうかがえます。

　また、アフィリエイト案件を紹介しているASPと呼ばれる広告仲介会社では、近年大手を筆頭として続々とInstagramの広告申請を許可し始めています。これがInstagram収益化の追い風となっているのは間違いありません。

　以上から、Instagramはかなり収益化しやすい環境が整っているといえます。

▶ フォロワー数が多ければいいというわけではない

「収益化のためには、とにかくまずはフォロワーをたくさん集めないといけない」。そう考えてフォロワー集めに躍起になる人がいますが、これはあまり推奨できません。本書で紹介するインスタ副業の特徴でもありますが、フォロワー数が少なくてもきちんと手順を踏めば安定した収益化は可能となっています。

　Instagramでの収益化において大切なことは、**Instagramに好かれること、そしてフォロワーとの親密度**です。いかにフォロワー数が多くとも、親密度が低い状態だと、Instagramの評価も低くなってしまいます。つまりホーム画面や発見タブなどで上位表示されにくいのです。

PART 1
PART 2
STEP 1
STEP 2
STEP 3
STEP 4
STEP 5
STEP 6
STEP 7
PART 3

7つのSTEPを踏めば誰でも稼げる　実践！インスタ副業
STEP1 Instagramの特性を理解する

したがって、ばら撒きキャンペーンのような短絡的な施策を打ってフォロワーを増やそうとするのは、親密度向上にはつながらないため、かえって逆効果です。ましてフォロワーを買うなどという行為も、規約違反ですし、まったく意味がありません。

関係の浅いユーザーをたくさん集めるよりも、**濃い関係性を持った少数のユーザーを集めること**が、Instagramの評価的にもいいですし、ユーザーに有益な情報をダイレクトに届けやすくなり、親密度を高めていける最短経路となります。

▶ Instagramアフィリエイトの将来性

まだまだInstagram内のアフィリエイトで稼いでいる人は一握りです。人による拡散機能を有していないことや、リンクを貼れる場所が限られていることから、Instagramでの収益化は難しいと考えている人が大半のようです。

また収益化に挑戦していたとしても、Instagramの評価システムに基づいた運用ができておらず、成果が出ていないユーザーばかりです。しかしこのように稼げないイメージが定着しており、手ごわい競合が少ない今こそ、Instagramアフィリエイト参入の絶好のチャンスといえます。

本家アメリカでは日本版にはないような収益化支援コンテンツが続々と実装されています。Instagram は今後より一層、ビジネス色が強くなっていき、個人でも収益化がしやすい環境が整備されていくと思います。

　本書で紹介するアフィリエイトでのインスタ副業は、あくまで収益化の入り口にすぎません。努力次第でそこからさらに発展させることも十分可能です。

　アフィリエイトで安定した収入を得られたら、本業の仕事を辞めて Instagram 一本で稼いでいくのも夢ではありません。その際には自分で何か販売コンテンツをつくって新しい収入源とすることも可能ですし、固有の企業と提携してものづくりや販売をすることもできると思います。さらにファンをたくさんつくることができれば、ライブ配信の投げ銭で稼ぐ道もあります。

　軌道に乗ればアフィリエイトにとどまらず、さまざまなビジネスチャンスにつなげられるのがインスタ副業の魅力です。

PART
1

PART
2

STEP
1

STEP
2

STEP
3

STEP
4

STEP
5

STEP
6

STEP
7

PART
3

STEP1　Instagramの特性を理解する

7つのSTEPを踏めば誰でも稼げる　実践！インスタ副業

STEP 2 アカウントを設計する

▶ アカウントの方針を固めておく重要性

　Instagramの特性が理解できたら、いよいよアカウントの作成ステップに入ります。

　これに先立ってまず準備しておきたいのがアカウントの設計です。アカウントの方針が定まっていないブレブレな状態で運用をスタートさせても、Instagramに正しく評価してもらえず、大多数への露出をかなえることができません。
　次のような質問に対する答えを用意した状態で、アカウント運用をスタートさせることが望ましいです。

事前に決めておきたいアカウント方針

・どんなジャンルを発信していくか

・どんな層に発信したいか

・ほかのアカウントとどのように差別化するか

▶ メディアアカウントをつくろう

Instagramを活用して収益化を図っているアカウントは、「**インフルエンサーアカウント**」と「**メディアアカウント**」、2つのアカウントの種類に大別することができます。

インフルエンサーアカウントは発信者個人の影響力を武器にしたアカウントです。芸能人やアスリートなど、SNSにとどまらず幅広く活動し認知されている魅力ある人物でないと、投稿に価値を付加しにくく、フォロワーを増やしていくことは至難の業です。

インフルエンサーアカウントとメディアアカウント

インフルエンサーアカウント

「自分」をメインコンテンツとして
発信するアカウント

メディアアカウント

「情報」をメインコンテンツとして
発信するアカウント

PART 1
PART 2
STEP 1
STEP 2
STEP 3
STEP 4
STEP 5
STEP 6
STEP 7
PART 3

7つのSTEPを踏めば誰でも稼げる　実践！インスタ副業
STEP2　アカウントを設計する

対するメディアアカウントは、世の中にあふれかえっている情報を収集整理してユーザーへ届けるアカウントです。情報の運用ならやり方さえ分かれば誰でも再現可能で、投稿の質が高ければ順調にフォロワーを増やしていくことができます。

　本書では、発信者の属人的な要素に依存しないメディアアカウント運用の方法を解説していきます。

▶ メディアアカウントを運用するメリット

　インフルエンサーアカウントとは違って再現性が高いことがメディアアカウントの第一の良さですが、ほかにもメリットはいくつも考えられます。

メディアアカウントのメリット

・有益な情報発信によって反応を集めやすく、短期間でも影響力をつけやすい

・情報収集がメイン作業なので投稿数を増やしやすい

・情報媒体なので自然な形でアフィリエイト広告を投稿できる

・企業からの広告依頼を受けやすい

・自ブランドや自社製品、自サイトを立ち上げる際に行動喚起しやすい

「ユーザーが気になっている情報を提供するアカウント」というポジションを目指せるのはメディアアカウントの大きな利点です。誰もがニュースサイトやまとめサイトといった情報収集ウェブメディアを一つや二つお気に入り登録し、定期的に訪問閲覧していると思います。

　これと同じように、**Instagram内でアカウントを情報メディアとして認知してもらうこと**で、習慣的に投稿を見てもらえるようになり、いいねや保存などの反応も高めることができます。提供する情報の質が高ければ、短期間でフォロワー数1万を獲得することも夢ではありません。

　収益面では、メディアという特性上、雑誌の広告のような立て付けで、自然な形でアフィリエイト広告を入れられる点は大きいです。さすがにPR投稿だらけだとフォロワー離れを引き起こしてしまいますが、日々の情報提供の合間に適度に差し入れる分には、フォロワーに違和感を与えることはありません。さらにフォロワーとの親密度が高まっていれば、抵抗なく紹介する商品に興味を示してもらえ、購入を促すことができます。

▶ ジャンル選び

ジャンル選びのポイント

　ジャンル選びのポイントは、収益化しやすいかどうかよりも、Instagramの評価シグナルとなっている保存数や滞在時間を狙いやすいかどうかを考慮することが大事です。短期間でInstagramに評価されることでフォロワー外への露出スピードも加速し、よりスムーズに収益化へとステップアップしていくことができます。

> **保存数や滞在時間が狙いやすいジャンル例**
>
> ◇美容　◇育児　◇メイク　◇健康　◇恋愛　◇アウトドア
> ◇ダイエット　◇金融　◇ファッション　◇旅行　◇人材
> ◇書籍　◇インテリア　◇教育　◇スポーツ　◇暮らし
> ◇グルメ　◇ペット　◇節約　◇レシピ　◇サブカル

自己分析ワークで得意ジャンルを見つける

　自分に合ったジャンルを見極めるため、<u>自己分析ワーク</u>を実践しましょう。

　実際にInstagram運用をしている人も、次のページの「自己分析ワークシート」を使って、自分を改めて客観視しています。<u>自分の本当に好きなことや、興味のあることを見いだすことができ、自分の興味のある分野を明確にすることで、ジャンル選びの貴重な材料</u>となります。

さっそく「自己分析ワークシート」を使って得意ジャンルを見つけ、自分の強みを活かした発信を目指しましょう。

自己分析ワークシート

【自己分析シート】※できるだけ具体的に書くことがポイント

自分について	記述
年齢、性別	
自分の性格	
得意、好きなこと	
苦手、嫌なこと	
詳しいこと	

仕事のスキル	記述
現在の職業	
過去の職業	
保有資格	
副業経験	

生活環境	記述
住んでいる都道府県	
自分がほぼ毎日していること	
今最も力を入れていること	
1日に可能な作業時間（平均）	

　では次に、「ゆう　管理栄養士 ⟩　時短離乳食で自分時間を作る」さんを例に「自己分析ワークシート」を分析していきます。

PART 1
PART 2
STEP 1
STEP 2
STEP 3
STEP 4
STEP 5
STEP 6
STEP 7
PART 3

7つのSTEPを踏めば誰でも稼げる　実践！インスタ副業
STEP2　アカウントを設計する

自己分析ワークシート 記入サンプル例

自分について	記述
年齢、性別	32歳、女性
自分の性格	・前向き ・自らリーダーシップを取るよりもサポート側にまわりたい ・教えられ上手 ・面倒くさがり ・ズボラなほう ・せっかち
得意、好きなこと	・スキンケアなどの美容関係はとても好き ・育児 ・食器(新しい食器を買ったら料理のモチベーションが上がる) ・漫画(少年・少女いろいろ) ・ストレッチ ・ラーメン ・アップルパイ、ワッフル、パンケーキ、チョコなどの甘い物 　(なかでもアップルパイが大好き) ・貯金(お金がたまることが大好き) ・節約
苦手、嫌なこと	・カエル ・集合体 ・お酒 ・実は最近はあまりおなかがすかないので料理のモチベーションは低い／子どもの離乳食は割と楽しくつくっている
詳しいこと	・栄養士なので栄養学は詳しい ・スキンケアは好きなので美容関係は調べている

この自己分析ワークシートはコチラから受け取りが可能です。

右記が自己分析ワークシートを踏まえて、実際に運用しているInstagramのアカウント例です。

仕事のスキル	記述
現在の職業	フリーランスの管理栄養士
過去の職業	法人営業
保有資格	管理栄養士
副業経験	あり（栄養指導）

生活環境	記述
住んでいる都道府県	東京都
自分がほぼ毎日していること	・育児／家事 ・Instagram ・YouTubeを見る ・本を読む（小説）
今最も力を入れていること	育児
1日に可能な作業時間（平均）	・現在は 1 〜 2 時間 ・子どもを保育園に預けられた場合、4 〜 5 時間

個人情報保護の観点で、一部情報を変更しております

実際のアカウント

	256 件の投稿	6万 人のフォロワー	962 人をフォロー中

ゆう　管理栄養士 ⎨　時短離乳食で自分時間を作る

@ __ohisamaaa96__

🍴 映えてなくても栄養あるものを短時間で
🍴 ママに寄り添う栄養学
▨ 時短した時間で自分磨き
▨ 前向きなママでいたい... 続きを読む

⬡ room.rakuten.co.jp/room_7611e049b4/ite...

＜プロフィール＞

・映えてなくても栄養あるものを短時間で
・ママに寄り添う栄養学
・時短した時間で自分磨き
・前向きなママでいたい
・スキンケアとストレッチに取り憑かれた女

▲プロフィールには、得意分野・好きなことの要素を記載することで、アカウントの立ち位置を明確にする

7つのSTEPを踏めば誰でも稼げる　実践！インスタ副業

STEP2　アカウントを設計する

55

興味のないジャンルは避ける

　ポイントとして、情報収集や編集作業が苦にならないジャンルを選ぶようにすべきです。「自分は興味がないけれどはやっているから」という基準でジャンルを選んでしまうと、モチベーションが保てず質の高い投稿が続けられなくなるリスクが考えられます。

　理想は自分が興味のあるジャンルを選ぶことです。とはいえ保存数や滞在時間が期待できない、かなりターゲットの狭いコアなジャンルは避けたいところです。以下のジャンル選定のリサーチ方法を参考にして、どのくらいの需要が見込めるジャンルかを計測しながら決めていきます。

ジャンル選定のリサーチ方法

　伸びるジャンルかどうかを知りたいなら、すでに情報発信している先駆者のアカウントを参考にしましょう。

> ### 伸びているジャンルの3カ条
> ・フォロワー数1万〜5万のアカウントが多い
> ・半年以内にフォロワー数1万を達成しているアカウントが多い
> ・180投稿以内にフォロワー数1万を達成しているアカウントが多い

　上記の3カ条のうち、2つ以上当てはまれば伸びる可能性の高いジャンルです。ただし投稿を消している場合もあるので、アカウント開設日も併せてチェックしましょう。

キーワード検索結果

▲検索結果に出てきた上位5アカウントのフォロワーが1万を超えていれば期待できるジャンル

プロフィール画面

▲調べたいアカウントのプロフィールを開き、画面上のユーザーネームをタップするとアカウント開設日が確認できる

PART 1
PART 2
STEP 1
STEP 2
STEP 3
STEP 4
STEP 5
STEP 6
STEP 7
PART 3

STEP2　アカウントを設計する
7つのSTEPを踏めば誰でも稼げる　実践！インスタ副業

大きいジャンルを「差別化」する

　ジャンルを「暮らし」や「健康」といった大枠の抽象的なものにとどめず、なるべく具体化しておきましょう。大枠のジャンルで見ると Instagram 内ではすでに飽和状態になっているものもあるので、周囲と同じようなテーマで投稿を続けていても埋もれてしまい、フォロワー数を伸ばすことはできません。

　<u>具体化のカギとなるのが大きいジャンルの差別化</u>です。
　例えば暮らしに特化したジャンルを扱うとして、一人暮らし向けの情報だけに絞るとか、あるいは同棲生活を送っている人に向けるとか、ある特定の企業の情報だけに特化させるなど、ジャンルの差別化によってユーザーに認知されやすくなります。その結果反応も伸び、Instagram にも評価されやすくなっていく傾向があります。

　ほかにも人気の大きいジャンルとしては、「美容」「健康」などもありますが、「美容」一つ取ってみても、コスメなのか、スキンケアなのか、扱えるジャンルはさまざまです。さらに設定したターゲットに興味を持ってもらえるかも考えていきます。できる限り<u>細分化して絞り込んだうえでジャンルを選定することが大切</u>です。

ジャンルの差別化の参考例

・ 美容	韓国コスメ、スキンケア、メンズ、部位特化
・ 健康	トレーニング、筋トレ
・ ダイエット	プロテイン、痩せレシピ、ヨガ
・ 旅行、観光	女子旅、夫婦旅行、ホテル、地域特化
・ インテリア	北欧インテリア、ミニマリスト、ガジェット
・ 暮らし	一人暮らし、同棲、ライフハック、特定企業特化
・ 節約	ポイ活、家計管理、貯金、特定企業特化
・ 育児	子育て情報、知育玩具、赤ちゃん情報
・ 恋愛	同棲、結婚、出会い
・ 金融	資産運用、仮想通貨、株、FX
・ 人材	転職、アルバイト、就職、キャリアアップ
・ 教育	英語、韓国語、プログラミング
・ グルメ	食べ物別、カフェ、コンビニ、地域特化
・ レシピ	低糖質、スイーツ、節約
・ メイク系	パーソナルカラー、アイメイク、カラコン
・ アウトドア	キャンプ、キャンプ飯、サウナ、グランピング
・ ファッション	ブランド別、古着、OL服、低身長、体型別
・ 書籍	レビュー、まとめ、絵本
・ スポーツ	ゴルフ、野球、スニーカー、ストリート
・ ペット	ペットと行けるスポット、育て方
・ サブカル	車、アニメ、漫画、小説、芸能、雑学

PART 1
PART 2
STEP 1
STEP 2
STEP 3
STEP 4
STEP 5
STEP 6
STEP 7
PART 3

STEP2 アカウントを設計する

7つのSTEPを踏めば誰でも稼げる 実践！インスタ副業

ChatGPTを活用しヒントを得る

　ジャンル選定のヒントとして「ChatGPT」を利用するのも一つの手です。ChatGPTとは、アメリカの人工知能研究所が開発したAIチャットボットで、専用アプリをインストールするかブラウザ上で登録することで利用可能です。

ChatGPT活用例

① 伸びているジャンル・人気ジャンルを聞く

　ChatGPTで「インスタ　人気ジャンル　具体的に10個」と入力

　さらに「いいねが入りやすいジャンル」「保存が入りやすいジャンル」「リーチが伸びやすいジャンル」「もっと具体的に」などと追加で質問していくことで深掘りができる

② ニッチな分野・細かい分野を聞く

　「インスタ発信者　レシピのジャンル　ニッチな層に響くコンセプト　30代女性」などと入力

　ジャンルが見えてきたら、さらに分野を細分化していく

　想定しているターゲットも加味することでより具体的で細かなヒントを受け取ることができます。さらに「レシピ　子ども向け」「レシピ　ヴィーガン」といろいろなアプローチで質問をしてみて、満足な回答が得られるまでChatGPTに聞いてみましょう。

日々のInstagram運用のなかでも**ChatGPTはヒントを得るツール**として役立ちます。投稿のネタに困ったときやコンセプト見直しの必要が出てきたときなど、壁にぶつかった際は使ってみるといいと思います。

コンセプトワークでターゲットを絞り込む

　メディアアカウントをつくっていくうえでターゲットの絞り込みは欠かせません。

　例えばジャンルを旅行系に設定したとして、紹介する対象を国内とするのか国外とするのか、どの地域をメインとするのか、家族向けなのかカップル向けなのか。このようなターゲットの絞り込みで、情報収集の方法や投稿の内容はかなり変わっていきます。

　さらに**詳細なターゲット設定**をしておくことで、情報を求めている**ユーザーとのマッチング率もより高まっていき、親密度を構築しやすい運用が可能**となります。

　次ページのコンセプトワークのシートを埋めて、ターゲットをより明確化していきましょう。

PART 1
PART 2
STEP 1
STEP 2
STEP 3
STEP 4
STEP 5
STEP 6
STEP 7
PART 3

7つのSTEPを踏めば誰でも稼げる　実践！インスタ副業
STEP2　アカウントを設計する

コンセプトワークシート

メディア名	
ターゲット（年代、性別）	
運用コンセプト	
キャッチコピー、スローガン	
読者に与えたいイメージ （ブランディング要素）	
自アカウントの強み（差別化）	

① ターゲット表層ニーズ	
② ターゲットの深層心理	
③ ターゲットニーズの深掘り	
④ アイデア	

▲ターゲット、コンセプトを明確にしていく

　このコンセプトワークシートはコチラから受け取り
が可能です。

コンセプトワークシート 記入例①

① ターゲット表層ニーズ	痩せたい
② ターゲットの深層心理	楽して痩せたい、食事を我慢したくないけれど痩せる方法は？ 食べて痩せる、リバウンドをしないダイエット方法を知りたい
③ ターゲットニーズの深掘り	コンビニ食や外食で痩せるのに適した商品、メニューを知りたい。 同じ境遇の人が実践して試したリアルな情報（実際に食べたもの投稿を出し、どれくらい痩せたか数字を出す） 痩せた成功例が分かりやすく投稿されているアカウント どの栄養素がダイエットに大事で、それが何に含まれているか
④ アイデア	自分で作らず楽して痩せる、セブン-イレブンなどの大手コンビニ、サイゼリヤやガストなどのメニューの栄養素などを記載した投稿を多く取り入れる、痩せたい人でも食べられる商品をランキング形式で表示し、保存を促す、ビフォーアフター系の画像を多く取り入れる

コンセプトワークシート 記入例②

① ターゲット表層ニーズ	旅行情報を知りたい
② ターゲットの深層心理	国内での有名どころは行き尽くした。安くて高級感がある情報専門で上げているメディアが少ない、住所はあるけれど移動手段まで書いていない、海外気分で泊まれるホテルはないか？ プランを載せているメディアが少ない
③ ターゲットニーズの深掘り	穴場スポットが知りたい トータルいくらかかったのかを細かく掲載してほしい 国内でも海外気分を味わえるスポットの情報紹介と具体的な移動手段。あればプランも。 たどり着くまで一クセある場所
④ アイデア	地元の人からのメッセージ（地元民が教える、観光スポットの注意点、実は入り口が分かりづらく迷いやすいなど） きれいな宣伝ではなく、本音を伝えていく 国内でも海外気分を味わえるスポットの情報紹介をしていく（写真素材はリポスト） たどり着くまで一クセある場所（秘湯）

PART 1
PART 2
STEP 1
STEP 2
STEP 3
STEP 4
STEP 5
STEP 6
STEP 7
PART 3

STEP2 アカウントを設計する

7つのSTEPを踏めば誰でも稼げる 実践！インスタ副業

斬新な切り口でファンが激増したコンセプト例

・「100日後に恋人を部屋に呼ぶ」というストーリー路線

・100日後までに部屋をきれいにするのが目標

・掃除グッズや収納アイテム、インテリアを紹介し、使用感を本
　気レビュー

・発信者と受信者、双方が初心者目線

　このようなコンセプトはエンタメ要素が強く、ユーザーは感情を
揺さぶられ、自然とアカウントを応援し定期的に訪れるようになり
ます。また本気のレビューが読める点も、Instagramユーザーの本
来の利用目的である情報収集と深く結びついていて、Instagramに
評価されやすくフォロワーも順調に増えていきます。

　運用者自身も、自室が整理されつつ投稿を続けることでメディア
アカウントが育っていくので、一石二鳥感もありやる気が目減りし
にくい点がメリットとなります。

　こういった予想の斜め上をいく発想でコンセプトを構築していく
のも面白いアカウント運用法です。ユーザーが求めているものと、
自分が収集発信していきたい情報がうまくクロスするところに着地
できるよう、コンセプトを見直していきましょう。

PART
1

PART
2

STEP
1

STEP
2

STEP
3

STEP
4

STEP
5

STEP
6

STEP
7

PART
3

▶ 独自性の高い設定とほかにはない切り口を決める

　アカウントのテイストはユーザーの印象に残りやすいものにすることが理想です。独自の設定をつくり、投稿の切り口もほかにはないものを目指しましょう。よりアカウントを差別化でき、唯一無二感を出すことができます。

　独自の設定や切り口を加えることで、発信内容により一貫性が出るため、Instagramにも認知されやすくなります。さらにフォロワーからの反応が上昇し、投稿の初速も伸びやすく、発見タブに露出しやすくなります。

例1　30代社会人向け暮らし × 100円均一 × DIY

例2　30代男性向けファッション × プチプラ × 年収1000万円

例3　20代カップル向け旅行 × 東海特化

▶ ジャンル認知

　扱うジャンルや投稿の方向性が見えてきた段階で意識したいのが「ジャンル認知」です。これはInstagram側がアカウントのジャンルを認識し、投稿されたコンテンツを適切なユーザーへ届けるように最適化された状態を意味しています。

　ジャンル認知の導入編として、次の2つはあらかじめ実践しておく必要があります。

ジャンル認知の導入編

・同ジャンルで良いと思った投稿を30個保存

・同ジャンルで良いと思ったアカウントを30個フォロー

　ホームや発見タブに、自アカウントで扱うジャンルに関連した投稿が上位表示されるようになっていれば、ジャンル認知の導入編は完了です。

　ジャンル認知はほかにも、ジャンルの一貫した投稿や、投稿内ハッシュタグやキャプションの内容、ハッシュタグのフォロー、同ジャンルアカウントとのコメント交流やDMなど、さまざまな行動によってより高まっていきます。

ジャンル認知を意識しているか否かで、ユーザーの反応率やフォロワー数増加にも大きな差が出てきます。必ず意識して運用していきましょう。

> **MEMO**
> アカウント内でジャンルとは関係ないハッシュタグを検索したり、自身の趣味に関連した投稿を見たりしてしまうと、ジャンル認知の効果は弱まってしまいます。個人的なジャンルをInstagram内で調べたいときは、メディアアカウントとは別にプライベート用のアカウントをつくって使い分けるようにしましょう。

▶ 目標とするベンチマークアカウントを3つ選出

　参考にできそうな同ジャンルのアカウントを見つけておくことで、よりコンセプトや日々の投稿づくりの質を高めていくことができます。そこで目標にするベンチマークアカウントを3つ決めます。**ベンチマークアカウントの選出条件は、伸びているジャンルを絞るときに使ったものと同じものを基準**にします。

> **ベンチマークアカウント選出の3条件**
> ・フォロワー数が1万～5万
> ・半年以内にフォロワー数1万を達成している
> ・180投稿以内にフォロワー数1万を達成している

ベンチマークアカウントを見つける方法としては、次の３つがあります。

①キーワード検索から見つける

　検索タブから自分が調べたいキーワードを入力することで、関連する投稿やアカウントを見ることができます。

②ハッシュタグから見つける

　同じく検索タブでハッシュタグ検索すると「トップ」「最近」「リール」ごとに投稿を見ることができます。トップに上位表示されている投稿ほどアカウント評価やエンゲージメントが高い優れた投稿と判断できます。

キーワード検索から見つける

検索タブ　➡　キーワードを入力　➡　キーワードに関連する投稿、
　　　　　　　　　　　　　　　　　　　アカウントが表示

PART 1
PART 2
STEP 1
STEP 2
STEP 3
STEP 4
STEP 5
STEP 6
STEP 7
PART 3

③発見タブから見つける

　ジャンル認知の導入編を済ませていれば、発見タブから伸びているアカウントを見つけることができます。**普段から発見タブ閲覧を習慣づけておくこと**で、バズりやすいネタを抽出することができます。

発見タブから見つける

自分が見てみたい　➡　投稿の内容を　➡　プロフィールを
投稿を開く　　　　　　リサーチ　　　　　リサーチ

PART
1

PART
2

STEP
1

STEP
2

STEP
3

STEP
4

STEP
5

STEP
6

STEP
7

PART
3

ベンチマークワークで参考ポイントを言語化

　ベンチマークアカウントを3つ選出できたら、**各アカウントの発信ジャンルや想定しているターゲット、良いと感じた点を記録**しましょう。下のベンチマークアカウントのワークシートを活用してください。

　抽出した良い点や参考にしたい点は、そのアカウントが人気を集めている重要なエッセンスです。運用序盤に活用しましょう。

ベンチマークアカウントワークシート

ベンチマークアカウント	1
アカウントURL	https://www.instagram.com/amireo_date/
アカウント名	あみれお｜東海の旅行やデートはお任せ！
フォロワー数	4.2万人
発信ジャンル	観光・スポット紹介
何の情報を	東海地方のデート情報
どのような形で	プラン、リールで
誰に届けるか	20代カップル
良いと思う点	地域特化、属人性が高い
モデリングポイント （参考にしたい点）	プロフィール、コンセプト、情報の見せ方、1枚目の表情

　このベンチマークアカウントワークシートはコチラから受け取りが可能です。

▶ メディアアカウント初期設定

開設時に決める4項目

アカウント開設時には次の４項目を設定します。

アカウント設定

```
アカウント初期設定

・ユーザーネーム        ・アイコン

・名前                 ・プロフィール
```

各項目に、伸びるメディアアカウントを構築するためのポイント
を説明します。

ジャンルが伝わるユーザーネームにする

　ユーザーネームとは「@」から始まる文字列のことです。プロフィールを開いた際に画面の最上部に表示されます。ユーザーネームはログイン時やアカウント検索、メンションやタグ付け時に使用します。

　美容なら「○○.beauty」、料理なら「cooking.○○」といったように、<u>ユーザー名だけでもどんなジャンルを扱っているのか伝わるよう工夫</u>しましょう。

ユーザーネーム

タグ付け

いいね！727件
nera.beauty ＼いいね1万超えだらけ！🖤✨／保存必須！ SNSでバズったコスメ丸わかり🥺✨

@nera.beauty
⬆️オトナ女子向け美容情報を
　毎日配信中💗

今回は
「新バズコスメ第15弾🤍✨」

毎回大人気！
NERA恒例のバズコスメシリーズも
ついに15弾に...🥺🤍
いつも見てくれて感謝🥺🔥🔥💪

バズった商品は
すぐ入手困難になっちゃうから、

メンション

PART 1
PART 2
STEP 1
STEP 2
STEP 3
STEP 4
STEP 5
STEP 6
STEP 7
PART 3

7つのSTEPを踏めば誰でも稼げる　実践！インスタ副業

STEP2　アカウントを設計する

認知されやすいアイコンにする

　アイコンはアカウントの顔ともいえる大切な存在です。アイコン次第で、ユーザーに与える印象は良くもなるし悪くもなってしまいます。

　ユーザーにとって認知しやすく親しみやすいアイコンであれば、ファン化が促進され、投稿の反応率良化やアクセス向上にもつながります。投稿に添えられているアイコンからプラスの印象を抱き、プロフィール欄へと飛んでもらえれば、フォロワーになってもらう可能性も格段に高まります。

　アイコンの方向性としては大きく分けて2つあります。**属人性が高くオリジナリティの高い投稿を多く発信する場合は、キャラ設定を踏まえたイラストや実写のアイコンを用いる**ことで、効果的なブランディングにつながります。一方、情報メディアとしてのカラーを強めて運用する場合は、公式アカウントのようなデザインにすると効果的です。

　アイコンは自分でつくるか外注するかの2択になります。自作の場合は無料で使えるデザインツールを用いるとよいです。特に「Canva」はおすすめで、イラストやフォントが豊富なので自分のイメージに合ったアイコンをつくることができます。日々の編集作業でも役立つ主力ツールです。イラスト素材は「イラストAC」などフリー素材サイトを活用するのも一つの方法です。

PART
1

PART
2

STEP
1

STEP
2

STEP
3

STEP
4

STEP
5

STEP
6

STEP
7

PART
3

外注する場合は「ココナラ」のような個人間でも仕事の受発注が可能なサービスを利用するとよいと思います。登録者の作成事例などを参考にし、イメージに合ったデザイナーを見つけて依頼します。アイコン作成の相場としては3000〜1万2000円くらいが適正です。

アイコン

個性強めのアイコン

メディア性強めのアイコン

アカウントの特色が見える名前にする

　どんなジャンルなのか、何について発信しているのか、一目で分かるような名前をつけることが大切です。カタカナを多めにするか漢字を多めにするかなど、字面の与える印象も考慮することでユーザーの認知具合が違ってきます。自分のアカウントに合った字面にしましょう。

特色が見える名前

PART
1

PART
2

STEP
1

STEP
2

STEP
3

STEP
4

STEP
5

STEP
6

STEP
7

PART
3

プロフィールに盛り込みたい四大要素

　アイコンが思わずタップしたくなる見た目でプロフィール画面に飛んできたのに、期待したものと異なるプロフィールが書かれていると、ユーザーはがっかりしフォローしないまま離れてしまいます。プロフィールはアカウントの魅力がたっぷり詰まったものにすることが重要です。

プロフィールに盛り込みたい四大要素

- **分かりやすさ**：どういった情報を発信しているのか、フォローするメリットが何かを明確にする
- **見やすさ**：改行や箇条書きを活用し文章を見やすくする
- **権威性**：情報の信頼性を上げるため肩書や実績などを記載する
- **アクティブさ**：フォロワーからの初速を上げるため投稿時間などを記載する

　上記の要素を盛り込みつつ、ベンチマークアカウントのプロフィールも参考にしながら、自アカウントを等身大で表現できているプロフィールをつくっていきます。

MEMO

スマホでプロフィールを開いた場合、4行目以降は「続きを見る」を押さないと表示されないため、特に伝えたい内容は初めの4行に記載するようにします。

プロフィールに盛り込みたい四大要素

＜ ___ohisamaaa96___ **・・・**

256　6.1万　966
件の投稿　人のフォロワー　人をフォロー中

ゆう　管理栄養士 ⸝　時短離乳食で自分時間を作る

ⓖ ___ohisamaaa96___

🍴 映えてなくても栄養あるものを短時間で
🍴 ママに寄り添う栄養学
⬜ 時短した時間で自分磨き
⬜ 前向きなママでいたい
⬜ スキンケアとストレッチに取り憑かれた女

👶 33歳　管理栄養士歴11年
👧 1y1m　おひさまちゃん
🔗 room.rakuten.co.jp/room_7611e049b4/ite...

フォロー　　メッセージ

🏋️‍♀️ 練習記録　🏃 変勢　🍼 哺パック　🤷 何がいい?　ストレ

発信内容がわかりやすく
認知されやすいユーザーネーム

ペルソナを意識した文章構成
コンセプトを明確にしている

自分の経歴や環境を入れることで
ユーザーに共感してもらえる

ハイライトに日常を発信し、
属人性を高めている

＜ yuya_papa_fashion **・・・**

84　1.5万　123
件の投稿　人のフォロワー　人をフォロー中

yuya | 年収1,000万パパの服と暮らし
\シンプルだけど「なんかオシャレ ✨」をプチプラで/
□UNIQLO/ワークマン/GU メインのコーデ紹介
■節約パパも真似するだけで簡単オシャレ
□ストーリーで家族/仕事/お金のことさらけ出して
ます
■いつまでもカッコ良いパパでありたい
🔗 www.noregrets.tokyo

フォロー　　メッセージ

ワークマン　パパ腰痛　転職

年収1000万パパという文言で
属人性や権威性を高めつつ
30代パパ層に刺さるように設計

コンセプトを明確にしている
ストーリーズに付加価値を付けることで
「年収1000万円の秘訣を知りたい」
というユーザーがストーリーズ
を閲覧し、継続的な親密度向上を狙える

ハイライトに日常を発信し
属人性を更に高めている

▶ プロフィールは定期的に見直す

アカウント開設とともに設定する項目は、開設後も定期的に見直していく必要があります。ジャンルそのものをより何かに特化させたり、あるいはターゲットやジャンルを根底から洗い直したりすることも、収益化のために必要となることもあると思います。

特にプロフィールはフォロワーに直結する大事な項目なので、何度も見直しブラッシュアップしていきたいです。日々の投稿を重ねていき、後述する指標で分析しながら、どこを見直していくべきか検討するようにすることが重要です。

変えてはいけない部分と積極的に変えていく部分をきちんと見極め、定期的に進化させていく意識が大切です。せっかくフォローしてくれたフォロワーたちに飽きられないように、常に新鮮な投稿を続けていくことが大事です。

プロフィール

| | 256
件の投稿 | 6万
人のフォロワー | 962
人をフォロー中 |

ゆう　管理栄養士 ♪　時短離乳食で自分時間を作る
◎ __ohisamaaa96__

🍴 映えてなくても栄養あるものを短時間で
🍴 ママに寄り添う栄養学
⬜ 時短した時間で自分磨き
⬜ 前向きなママでいたい
⬜ スキンケアとストレッチに取り憑かれた女

👩 33歳　管理栄養士歴11年
👶 1y1m　おひさまちゃん
⬿ room.rakuten.co.jp/room_7611e049b4/ite...

| | 81
件の投稿 | 1.5万
人のフォロワー | 122
人をフォロー中 |

yuya | 年収1,000万パパの服と暮らし
\シンプルだけど「なんかオシャレ ✨」をプチプラで/
□UNIQLO/ワークマン/GU メインのコーデ紹介
■節約パパも真似するだけで簡単オシャレ
□ストーリーで家族/仕事/お金のことさらけ出してます
■いつまでもカッコ良いパパでありたい
⬿ www.noregrets.tokyo

投稿の基本を理解する

▶ 参考にすべき投稿

　実際に投稿する段階になると、何を話題にしてどのように投稿すればいいのか悩んでしまうこともあると思います。まずはあまり一人で考え込むようなことはせず、**コンセプトや方向性が似ている他ユーザーの投稿を参考にしてみるとよい**と思います。

　ここでやってはいけないのが、フォロワーが多いアカウントのバズっている投稿を参考にしてしまうことです。フォロワー数1万を超えるようなアカウントはすでにフォロワーのファン化が完了しているため、抽象的な内容の投稿にもいいねがつきやすく、フォロワー外への露出も多くなります。しかしこのような抽象投稿を参考にして、フォロワー数の少ないアカウントが投稿してしまうと、反響はほぼ期待できません。

　まだファンがゼロの序盤に抽象的なネタをやっても意味がありません。まずは**トレンドを意識し、具体的かつ強めのネタで勝負**します。フォロワー数3000程度のアカウントを参考にしながら、投稿の内容を決めていくようにします。

PART
1

PART
2

STEP
1

STEP
2

STEP
3

STEP
4

STEP
5

STEP
6

STEP
7

PART
3

▶日々の投稿の3つのパターン

投稿の内容には「オリジナル」「リポスト」「ハイブリッド」の3つのパターンがあります。

①オリジナル投稿

一から自分でつくりあげる独自の投稿です。商品やサービスを購入したり、気になる場所へ行ったりなどの、体験して得た情報や、ジャンルに関連した話題について調べて得た情報を、簡潔にまとめて図解化することでオリジナル投稿は完成します。

実際に伸びている投稿や、ベンチマークアカウントの投稿を参考にすることで、細かなテクニックを習得し、より投稿内容と投稿に対する反応の質量を上げることができます。最初はうまくいかなくても繰り返し投稿していくことで徐々にスキルアップしていきます。たとえ反応が薄くてもめげずに続けていくことが大事です。

②リポスト投稿

他ユーザーの投稿を自アカウントで再投稿・引用し投稿する方法です。オリジナルとは違って自分で発信素材をつくる必要はないので、効率よく投稿数を増やしていけます。

オリジナルでつくるのが難しいジャンルの投稿は、**自分で編集を**
しないリポスト投稿で発信するのも有効な手立てです。投稿作業に
かける時間が1日に30分以下しか取れない、といった忙しい人に
もリポスト投稿は適しています。情報を束ねて発信するメディアア
カウントだからこそできる投稿手法といえます。インターネットサ
イトでいうところのまとめサイトの記事に近いパターンです。

> **MEMO**
> 「リポストのリポスト」はNG。必ずオリジナル投稿をリポストしましょう。

③ハイブリッド投稿

　オリジナル投稿とリポスト投稿の中間にあるような投稿パターン
です。ほかのユーザーから情報や素材を借りつつ、自分で編集し一
つの投稿へと仕上げていきます。

　例えば沖縄のホテルをまとめた投稿を発信するとします。まず
Instagram内の検索にて「沖縄」「ホテル」で検索し、実際に沖縄
のホテルを利用している投稿の中から、自投稿にマッチしたものを
いくつかピックアップします。それら投稿の写真素材などを拝借し、
自分で編集して、「沖縄に行ったら泊まりたいホテル○選」として
まとめて投稿を完成させます。

　他ユーザーの投稿をリポストしつつ、情報価値を付与する形式の
投稿であり、独自性が生まれやすく露出もしやすいのがハイブリッ
ド投稿の特徴です。完全オリジナル投稿よりも少ない労力で反響の
大きな投稿を増やすことができます。

PART
1

PART
2

STEP
1

STEP
2

STEP
3

STEP
4

STEP
5

STEP
6

STEP
7

PART
3

▶ 投稿パターンの露出順位

3つの投稿パターンの大きな違いは<u>露出の優先度</u>です。

Instagramの評価シグナルにおいて、オリジナル投稿が最も露出しやすい仕組みになっています。次にハイブリッド投稿、リポスト投稿の順となります。編集にかかるコストが多い投稿パターンほど露出順位が高いというわけです。

> 露出順位
> オリジナル ＞ ハイブリッド ＞ リポスト

大事なのは投稿パターンの使い分けです。30投稿くらいまでの運用序盤は、投稿への慣らしも兼ねてリポストを活用し、投稿に対するユーザーの反応を集めていきましょう。そして30投稿を超えたあたりから、オリジナルやハイブリッドを主軸とすることで、効率よく露出できフォロワーを増やしていくことができます。

3パターンの理想的な配合は自アカウントのコンセプトによっても異なります。実際に投稿を繰り返しながら、ベストな配合を見いだしていきましょう。

▶ リポスト時は必ず許可を得る

　リポスト投稿であれハイブリッド投稿であれ、ほかのユーザーのコンテンツを拝借する際には必ず投稿者の許可をもらいましょう。許可なしに素材を使ってしまうと、著作権侵害などのトラブルに見舞われる恐れがありますし、マナーを守って交流することで新たな人間関係が生まれ、情報交換できるようになるというメリットも生まれます。

　リポスト時にはアカウント同上でメンションしリンクし合います。相互のリンクはInstagramの評価で優位に働き、フォロワーアップにつながります。この旨をリポスト相手に伝えることでメリットが伝わり、お互いに気分よくリポスト活用ができます。
　事前にダイレクトメッセージを送り、リポストの許可を得てお礼を伝えます。さらに投稿後にも報告し、再度お礼の言葉を送るようにしましょう。またこのお礼のタイミングで、次回以降も都度許可が必要かどうか確認するといいでしょう。相手によっては、メンションやタグ付けをしてくれれば自由にリポストしてもいい、と快諾してくれます。

PART 1
PART 2
STEP 1
STEP 2
STEP 3
STEP 4
STEP 5
STEP 6
STEP 7
PART 3

　実際に送るダイレクトメッセージのサンプルをP85、87に載せていますが、これはあくまでも参考程度にとどめてください。リポストお願いのメッセージはなるべく相手ごとに内容を変え、気持ちのこもった丁寧なものを心がけるようにしましょう。

DMリポスト依頼サンプル

> はじめまして！！
> ○○の情報を紹介している○○と申します✨
>
> ○○さんのとても素敵な投稿を拝見させていただきました☺️❣️
> 差し支えなければ、こちらの素敵な投稿をお借りさせていただきたいのですが、よろしいでしょうか？🙇
>
> もし使用OKでしたら、ご返事もしくはこのメッセージに"いいね""🖤"のマークだけしていただけたら、必ずメンションしたうえでご紹介させていただきます！
>
> 前向きにご検討いただけたら嬉しいです！
> よろしくお願いいたします☺️

▶ リポストする投稿を探すときのコツ

リポスト投稿やハイブリッド投稿に活用したい投稿を探す際の
ちょっとしたコツがあります。

まず、自ジャンル関連の投稿やアカウントを検索します。発見タ
ブの検索窓に自分が扱うジャンル名、キーワード（コスメ、グルメ
など）を入力します。そして検索結果から、リポスト投稿を中心に
運用しているメディアアカウントを見つけます。そのアカウントの
投稿をさかのぼることで、**リポストの許可を出しているアカウント
をまとめて発見**することができます。自分のメディアアカウントで
紹介したいアカウントが見つかったら、**優先してリポスト依頼を出
す**ようにするといいと思います。

序盤はフォロワー数3000程度までのアカウントを対象にリポス
ト依頼をしていくといいです。このクラスであれば比較的許可を得
られやすい傾向があります。

DMリポスト依頼サンプル

〈掲載のご依頼〉

○○さん、突然のご連絡申し訳ありません。
美容メディア○○を運営しております○○と申し
ます。

当メディアでは主に○○に関する情報や、
さまざまな企業様、インスタグラマー様の
ご紹介を行っております。

日々の○○様のご投稿を拝見し、ぜひ当メディア
にて投稿をお借りさせていただければと思い、
ご連絡させていただきましたがいかがでしょう
か？

掲載させていただいた際には、
=======================
フィード投稿・メンション
ストーリーズシェア・メンション
=======================
を実施させていただく予定です。

その他必要事項がございましたら
お気軽にお申し付けください。

よろしくお願いいたします🙇‍♀️

PART
1

PART
2

STEP
1

STEP
2

STEP
3

STEP
4

STEP
5

STEP
6

STEP
7

PART
3

STEP3 投稿の基本を理解する

7つのSTEPを踏めば誰でも稼げる　実践！インスタ副業

▶ 発見タブでバズるには保存数がカギ

Instagramはたくさん保存されている投稿を高く評価します。その背景として、Instagramにはユーザーに長く滞在してほしいという意向があります。いいねだけしてInstagramから離れられるのではなく、**保存した投稿を何度も見返してもらい長時間Instagramに滞在してもらえる**、そんな投稿を求めています。

フォロワー外に投稿を見てもらうには発見タブへの露出は必須です。そして発見タブへの露出にはInstagramに高く評価されなければなりません。したがって、保存される投稿づくりを心がけることが、発見タブへ露出するための重要なカギとなります。

▶ 保存されやすい投稿をつくる

より多くの人に保存されるために次のような投稿づくりを目指すことが大切です。

投稿の保存を促すには

・続きが見たくなる投稿

・見返したくなる投稿

・ユーザーの感情を刺激する投稿

・保存を誘導する投稿

具体的に何をするかというと、まずはユーザーが意識できている欲求、すなわち顕在ニーズを満たします。この投稿を読むことでユーザーがどんな情報を得られるのかを明示し、**続きが見たくなるよう工夫すること**がポイントです。

　これに加えて、隠れた本心の部分を引き出せるとなおよいと思います。顕在ニーズに対する潜在ニーズです。例えば「肌がきれいになりたい」が顕在ニーズであれば、潜在ニーズには「周りからきれいと言われたい」とか「好きな人を射止めよう」といったワードが潜んでいます。これらのワードも盛り込んでいくことで、ターゲットの感情が刺激され、より保存されやすい投稿へと質を上げることができます。

　何度も見返したくなるようにするには**情報量も肝心**です。ターゲット目線で有益な情報をできるだけ盛り込んでいくようにします。そのためにも常にアンテナを張り、投稿ジャンルに結びつきそうな情報をチェックしておくことも必要です。

　こういった保存したくなる仕掛けをいかに施せるかが、保存数のカギであり、発見タブへの露出頻度を左右します。**ほかのユーザーがつくった投稿や自分でつくった投稿を見返して、どんな投稿が保存したくなるかを精査する習慣を身につけておくことが大切**です。

PART 1

PART 2

STEP 1

STEP 2

STEP 3

STEP 4

STEP 5

STEP 6

STEP 7

PART 3

7つのSTEPを踏めば誰でも稼げる　実践！インスタ副業

STEP3　投稿の基本を理解する

保存されやすい投稿の例

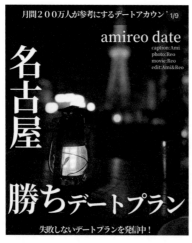

保存されやすい投稿のコツ

◎アルゴリズムは いいねよりも「保存」を評価する

「ユーザーに 長くInstagramに滞在してほしい」 というInstagram側の声

↓

あとで見返す行為＝滞在時間が伸びる

↓

「保存」は特に評価が高い

◎発見タブでバズるには 保存数がカギ

「いいね」より「保存」のほうが 重要な指標になっている ことが分かる

いいね

保存

◎保存される投稿をつくるコツ

1. 顕在ニーズを扱う

2. 隠れた本心がキーワード （潜在ニーズ）

3. 有益な情報は隠さない

1. 顕在ニーズを扱う

顕在ニーズ
＝
ユーザーが意識できている欲求

例えば
- 写真写りを良くしたい
- 無印良品の情報を知りたい
- 安く旅行に行きたい

2. 隠れた本心がキーワード （潜在ニーズ）

例えば

肌をきれいにしたい

表面上 意識

隠れた本心 無意識

潜在的には…
- 周りから若いと 言われたいから
- 好きな人を射止 めたいから

◯欲求の先にある本質的な願望について訴求すれ ばエンゲージメント爆増
◯表面上では"自分のために"きれいになりたいと 思っている（思いたい）が、実際は対人関係からの 欲求がほとんどなのでそこを刺激する

3. 有益な情報は隠さない

投稿内の情報量を増やし 「これはあとでじっくり見たい！」 と思わせる内容にする

↓

あとで見返すために保存が入る

※自分では書かなくていいと思っていることも相手 にとっては有益な可能性がある
＝ ターゲット目線でどんな情報が有益か考える

PART 1
PART 2
STEP 1
STEP 2
STEP 3
STEP 4
STEP 5
STEP 6
STEP 7
PART 3

STEP3 投稿の基本を理解する 7つのSTEPを踏めば誰でも稼げる 実践！インスタ副業

STEP 4 実際に投稿する

▶ メディアアカウント運用ロードマップ

　ここまででInstagramの特性やコンセプト設定、投稿するうえでの基本事項をおさえました。ここからはいよいよ実践編、実際に投稿するステップに入ります。

　メディアアカウントを運用していくうえで、投稿数に応じて以下の点に留意します。

メディアアカウント運用ロードマップ

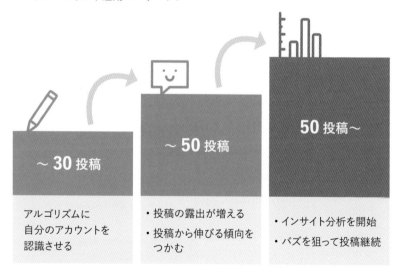

~ 30 投稿
アルゴリズムに
自分のアカウントを
認識させる

~ 50 投稿
・投稿の露出が増える
・投稿から伸びる傾向を
　つかむ

50 投稿~
・インサイト分析を開始
・バズを狙って投稿継続

PART
1

PART
2

STEP
1

STEP
2

STEP
3

STEP
4

STEP
5

STEP
6

STEP
7

PART
3

30投稿まではInstagramに評価されるよう、一貫したジャンル投稿を続けます。

Instagramに正しく認識され評価されていれば、50投稿までにはフォロワーが増え、投稿の露出も増えていくようになります。過去に発信した投稿の反応具合から、評価の高い投稿をつくるコツをこの段階で身につけていくことになります。

50投稿以降は分析を活用し数字に基づいた改善を行っていく、より高度な段階になります。

▶ 投稿に必ず盛り込むべき要素

投稿は基本的に次のような構成を目指しましょう。

> **投稿の基本構成**
>
> ① **表紙**（1枚）　思わず見たくなるタイトル、強キャッチコピー
>
> ② **導入**（1枚）　離脱を防ぐための興味づけ
>
> ③ **本題**（3〜8枚）　見やすさを担保しつつも情報量多めが理想
>
> ④ **誘導画像**（1〜2枚）　保存やプロフィール誘導、コメントなどの行動を促す

表紙の例

▲テーマやジャンルに沿ったインパクトのある表紙を意識する

導入の例

▲最初に保存を促すのもグッド。料理なら完成した料理の画像を見せるといったように、投稿内容のゴールを提示するのも効果的

本題の例

これは絶対ストック

食べるスープ
揚げ茄子と豚肉の生姜スープ4食
¥420（税込）

無印に行ったら絶対買うのが食
べるスープシリーズ！具材ゴロ
ゴロ入ってて1杯で満足度高い
のよね！これはもしもの時用に
ローリングストック確定！

エネルギーぎゅっ

備蓄おやつ チョコようかん 5本
¥780（税込）

長期保存のおやつってパサつい
てる印象だけど、これちゃんと
美味しい！賞味期限も最長4年
半！でエネルギーもギュッと詰
まってて1本197kcal摂取可能！

5位
星のや東京

ビル街に佇む温泉旅館で
東京駅から歩いて数分の好立地

東京のど真ん中にいることを
忘れてしまうくらい中は異空間が
広がっていて非日常を味わえる！

◯ 健康にやさしいスイーツ

3/10

こちらのお店の全てのスイーツは、小麦・精製糖不使用で材料を厳選して
いるため、健康を慮う方やお子さも安心して食べられるとのこと！
1年中ダイエット中の私も罪悪感なしで食べれるのが嬉しい笑

▲右下や右上などにページ数を記載するのもグッド

誘導画像の例

▲投稿の最後に自メディアアカウントの活用方法や、保存、プロフィール誘導など、行動喚起を促
す画像を入れる

▶ モデリングでデザイン力を鍛える

またInstagramを右肩上がりで運用していくうえで重要となるのがデザイン力です。

> **デザイン力を身につけると**
>
> ・投稿の質が上がりリーチ数が伸びる
>   →フォロワーアップ
>   →収益アップ！
>
> ・投稿作成の効率向上
>   →空いた時間を分析などほかの作業に使える
>   →幅広い表現力が身につく

「デザインは難しそう」「センスが問われそう」と思うかもしれませんが、Instagram運用で必要なデザイン力は練習量で十分にカバーできます。

デザイン力を伸ばすのに有効なトレーニングがモデリングです。**モデリングとは「モデルとする他者を観察・模倣して学習する」こと**です。自分が「このデザイン上手だな」「再現できるようになりたいな」と感じた投稿を実際に手を動かして再現することで、自然と配色や配置、フォントの使い方が身についていきます。

演習として、レベルごとに3つの画像をモデリングしてみましょう。以下にデザインツール「Canva」を使用したデザインとポイント解説をしていきます。

レベル1

PART
1

PART
2

STEP
1

STEP
2

STEP
3

STEP
4

STEP
5

STEP
6

STEP
7

PART
3

ポイント

①文字を見やすくする"下地"をつける

Canvaメニューから『素材』→『四角を検索』→『四角の透明度を下げる』の手順で下地を作成できます。

②テキストの縦書き

『T↓』というボタンをタップで縦書きになります。

※Canvaの使い方については2024年3月時点のものです。

※iPhoneでの使用を想定しています。

ポイント

①文字エフェクトの詳細設定が必要

『ハワイ』の部分なら<u>『エフェクト』→『ぼかし』『透明度』を変更</u>すると文字が浮いて見やすくなります。

②赤い四角（グラデーションあり）を出す

<u>素材で『四角　グラデーション』と検索</u>して３色のカラー選択ができる四角を出して好みの色に変更しましょう。

レベル3

パーソナルカラー別コスメを毎日配信中

\パーソナルカラー別…♡/
透明感カラコン

ポイント

①文字の幅調整

『パーソナルカラー別…♡』の部分は**文字の間隔幅を空けて**作ります。

②素材が多いので、編集画面が混み合う

"ロック機能"をうまく使うと操作しやすくなります。

　このように「いいな」と思えるデザインに出合ったら、どんどんモデリングを実践して、デザインスキルを吸収していきましょう。

PART 1
PART 2
STEP 1
STEP 2
STEP 3
STEP 4
STEP 5
STEP 6
STEP 7
PART 3

▶ 「フィード」「リール」「ストーリーズ」 3つの投稿スタイルの違い

　投稿には「フィード」「リール」「ストーリーズ」の3スタイルがあり、目的に応じて使い分けて運用していきます。

「フィード」「リール」「ストーリーズ」 3スタイルの違い

	フィード	リール	ストーリーズ
素材	画像	ショート動画	画像&動画
特徴	・フォローするかどうかの決め手材料	・専用のタブあり	・24時間で消える ・リンクが置ける
ユーザー側の主な利用目的	情報収集	娯楽&情報収集	コミュニケーション
表示場所	・ホームタブ ・発見タブ ・プロフィール	・ホームタブ ・発見タブ ・リールタブ ・プロフィール	・ホームタブ （フォロー相手のみ） ・プロフィール （ハイライトした場合）
フォロワー外へのリーチ	中	高	低
フォロワーとのコミュニケーション	中	中	高

　STEP 3では「オリジナル」「リポスト」「ハイブリッド」という3パターンの投稿の話をしましたが、これらは投稿の中身のつくり方の話になります。よってオリジナルのフィード投稿もあればリポ

PART 1

PART 2

STEP 1

STEP 2

STEP 3

STEP 4

STEP 5

STEP 6

STEP 7

PART 3

ストのフィード投稿もありますし、リポストのリール投稿やハイブリッドのリール投稿も作成可能です。ただ**ストーリーズは独自性の高い内容になるので、オリジナル投稿が大部分**を占めます。

　なかでもリールは飛び道具のような位置付けで、自アカウントを周知させるビラ配りのような役割を担います。離れたところにいる**ユーザーとの距離を一気に近づける効果が高い**です。**フィードはフォロワーを楽しませることが主体、ストーリーズはフォロワー限定公開なのが最大の特徴**でフォロワーとのコミュニケーションを図る効果的なツールになります。

　リールでアカウントの存在を認知したユーザーは、プロフィール経由でフィード投稿を見ることになります。ここでユーザーの心をつかめるかどうかが、フォロワーになってくれるかどうかの境目となります。

　運用スタート時はフィードとリール投稿を主体としたほうがよいと思います。時間が取れない場合はリポスト中心、余裕があればオリジナルやハイブリッドでの投稿を行います。ちなみに、リポスト投稿は露出が抑えられるケースが多く見受けられるので、作業時間が取れる人は極力オリジナルやハイブリッドスタイルで運用することを推奨します。

　フォロワー数が100ほど集まったら、ストーリーズとフィードで親密度アップ作戦を本格的にスタートさせるのが適切なアカウント運用です。

▶ フィード

キャプションのパターン

　キャプションはベンチマークアカウントの投稿や伸びている投稿を参考にして作成します。以下の要素は必ずおさえておくようにすることが大事です。

> **キャプションに盛り込みたい要素**
>
> ・自メディア紹介文（紹介文は複数パターンでテンプレ化すると効率アップ）
>
> ・最前部にメンション
>
> ・紹介文の中にタグ付けを活用
>
> ・詳細情報の記載で保存を促す

キャプションの例

tuki__to__hoshi どうも！日本一の星野リゾートオタクです！
@tuki__to__hoshi

今回は1番お得に行ける星野リゾートについて紹介！

結論、ふるさと納税制度を使って星野リゾートの宿泊券をもらい、割引プランを予約して星野リゾートに宿泊するのが1番お得！！

ハイライトにふるさと納税についてまとめたから、是非チェックしてみて！！🙌🙌

つきとほし☆日本No.1の星野リゾートオタク夫婦
@tuki__to__hoshi
🐻 元理学療法士　おぷに
🐱 看護師　おぱちぇ

🐾 病棟から逃げたい看護師のためのアカウントもあるよ！↓
@opache.nigenurse

🐾 毎月星野リゾートに行けるヒミツ↓
@opuni_tuki5man

#星野リゾート#星野リゾート界
#ふるさと納税 #ふるさと納税返礼品 #ふるさと納税おすすめ #ふるさと納税制度 #温泉旅館 #贅沢旅行 #

コメント誘導で滞在時間UP

　投稿のいちばん気になる部分で**コメント欄へ誘導できる仕掛けをつくると滞在時間アップ**につながります。

コメント誘導の例

▲ヒントをコメント欄に誘導することで滞在時間をアップさせる

PART 1
PART 2
STEP 1
STEP 2
STEP 3
STEP 4
STEP 5
STEP 6
STEP 7
PART 3

7つのSTEPを踏めば誰でも稼げる　実践！インスタ副業
STEP4　実際に投稿する

ハッシュタグ選定

　投稿キャプション内にハッシュタグは最大30個まで入れることができます。Instagram上は投稿とタグの関連性が重視されるので、**投稿と関係のないワードを入れることは控えるべき**です。

　ハッシュタグはInstagram全体の投稿に付されている総数に応じて「ビッグワード」や「スモールワード」といった概念があります。

　旅行系の投稿をする場合、「#旅行」「#ホテル」といったビッグワードのみで投稿するのではなく、ミドルからミクロも含めて満遍なく**意識してハッシュタグを入れていくと、露出を伸ばしやすいです**。

ハッシュタグの分類

〜例えば旅行系なら〜

ビッグ： 投稿数 **50万件以上**
　例： #旅行　#観光　#ホテル

ミドル： 投稿数 **5万 〜 50万件**
　例： #カップル旅行　#子連れ旅

スモール： 投稿数 **1万 -- 5万件**
　例： #ホテル名　#スポット名

ミクロ： 投稿数 **1万件**
　例： #沖縄に行きたい　#旅行したいな

PART
1

PART
2

STEP
1

STEP
2

STEP
3

STEP
4

STEP
5

STEP
6

STEP
7

PART
3

「固定タグ」と「投稿タグ」の設定

　日々の投稿を続けるにあたってハッシュタグは大きく「固定タグ」と「投稿タグ」を使い分けるようにします。

固定タグ
　ビッグワード〜ミドルワードで固定
　ベンチマークアカウントなどを参考にしながら5個設定

投稿タグ
　スモールワード〜ミクロワードで設定
　投稿に関するタグを各投稿に10 〜 15個設定

　固定のハッシュタグとそれに関連したハッシュタグを常に投稿に仕込んでおくことで、Instagramに「このアカウントはどんなジャンルを扱っているのか」「誰に情報を届ければいいのか」を認識させることができます。これを「ハッシュタグ認知」と呼びます。

　認知を目指して投稿を続けると、10投稿を超えたあたりからInstagramに正しく評価されるようになり、上位表示されやすくなります。加えて、投稿ごとにきちんと投稿数に適した小さなワードを設定することで、ハッシュタグ検索からのユーザー流入も促すことができます。

　中長期目線で、地道にハッシュタグを事細かに設定した投稿を続けて、効果を検証していきましょう。

▶ リール

認知拡大の起爆剤リールを使いこなそう

　メディアアカウント運用において**リールは認知拡大という重大な役割を担う**ので、**インパクト絶大の投稿づくり**を心がけましょう。インパクトが大きければ大きいほど序盤でも大きな反響を集めることができ、一気にフォロワーを増やす起爆剤になります。

　リール作成時のポイントは、**初めの2秒に特に力を入れておく**ことです。リールを再生してすぐに離脱されてしまっては、アカウント全体の評価向上にはつながりません。初めの2秒でユーザーの心をぎゅっとつかみ、気づいたら最後まで再生していた、という流れに持っていければ最高です。具体的には以下の点を心がけることが重要です。

リールをバズらせるには?

・視聴維持率を高める
　動画の途中で離脱されないような構成を心がける
　最初の2秒で視聴維持率50%以上を目指す

・保存率を高める
　何度も見返したくなる構成を心がける
　投稿後24時間の保存率2〜3%以上を目指す

視聴維持率や保存率は投稿を分析できる「インサイト」で確認できます。インサイトについてはSTEP5で解説します。

リール作成時のポイント

① フックの利いたタイトルをつける

「意外とこれ……」「本当は教えたくない」「9割が知らない」など、つい先を見たくなるタイトルを。

② 冒頭にダイジェスト

0.5〜1秒の動画の見どころを3カットつないでダイジェストとし、冒頭に流します。「最後は衝撃の」「1位は意外な」といった文言も添えることでより滞在率を伸ばせます。

③ 音源に気を使う

リールでよく耳にする音源や誰もが聴いたことのあるなじみの深い楽曲を採用しましょう。カットや文字が動くタイミングで音を入れるとエンタメ性が上がり滞在時間も延びやすいです。音源はInstagram公式のものや著作権フリーのものを使うようにします。

④ 高画質にする

Instagramはクオリティの高い投稿を評価しほかのユーザーにすすめます。画面の占有率や画質には注意が必要です。動画サイズは1080×1920ピクセルが最適です。リール投稿すると画質が落ちてしまう場合は、「設定」から「データ利用とメディア品質」へ行き、「最高画質でアップロード」をオンにします。

PART 1
PART 2
STEP 1
STEP 2
STEP 3
STEP 4
STEP 5
STEP 6
STEP 7
PART 3

運用序盤でリールのオリジナル作成が難しい場合は、リポストで投稿することも可能です。トンマナ（「トーン＆マナー」の略称で、デザインやスタイル、文言などに一貫性を持たせるルールのこと）の統一感は重要となるので、表紙をリポスト元のまま利用するのは得策ではありません。後付けで表紙を変えることが可能なので、リポスト元に許諾を得たら変更したほうがよいです。

▶ ストーリーズ

ストーリーズで親密度を高める施策を行う

　ストーリーズは主としてフォロワーとのコミュニケーションツールとして使われます。24時間で自動的に消えるのが最大の特徴で、投稿を見ることができるのはフォロワーだけです。

　ストーリーズを見たフォロワーは、いいね、シェア、スタンプへの反応など、さまざまなアクションを行うことができます。Instagramに「フォロワーとの親密度が高い」と評価され、滞在時間やアクションなどを上げやすいのがストーリーズです。

PART
1

PART
2

STEP
1

STEP
2

STEP
3

STEP
4

STEP
5

STEP
6

STEP
7

PART
3

> ## ストーリーズが上位表示されるためには
>
> ① フォロワーとコミュニケーションをとる
>
> 　双方向のコミュニケーションを意識することで親密度が高まりやすいです。
>
> ② 長文や動画で滞在を延ばす
>
> 　繰り返し読んでもらったりストーリーズを止めて読んでもらったりすることで滞在時間が延びやすいです。文字量が多くても見やすさを担保できるとよいです。

　ストーリーズ作成時は、こちらから一方的に情報を発信するような構成にはせず、「双方向のコミュニケーション」がとれるよう意識することが大切です。

ストーリーズ上位表示の例

▲ストーリーズはホーム上部に表示される。親密度が高いアカウントのストーリーズほど上位に表示される

さまざまなアクションの例

▲アンケート（左）、質問BOX（中央）、クイズなどのリアクションスタンプが用意されている

双方向コミュニケーションのポイント

・**アンケート機能**：ほかの人の回答が気になる内容にする、考える時間が必要な質問は避ける

・**質問ボックス機能**：回答のハードルは下げる

・**クイズ機能**：回答を知らないと損しそうな内容にする、各選択肢には絵文字を入れる

PART
1

PART
2

STEP
1

STEP
2

STEP
3

STEP
4

STEP
5

STEP
6

STEP
7

PART
3

▶ 新規投稿後は必ずストーリーズでシェアする

リールやフィード投稿をしたらストーリーズで必ずシェアします。それがフォロワーへの告知になり、ストーリーズからリンクをタップして投稿へと飛べ、反応率を高めることができます。

> **ストーリーズでシェアする方法**
> ① シェアしたい投稿の左下にある「紙飛行機アイコン」をタップ
> ②「ストーリーズに投稿を追加」を選択
> ③ メンション（リポスト投稿の場合）、テキスト、リアクションスタンプを挿入し、投稿して完了

フィードとリールは1日に4投稿以上するとアクセスが伸びにくくなる傾向が見られるので、合わせて1日3投稿までとします。

ストーリーズシェアの例

▲フィード新規投稿時はシェアだけでなくリアクションスタンプを配置したり、投稿の閲覧を促す文言を記載したりする

111

▶ 最適な投稿頻度

またフォロワー増大に直結する**リール投稿はできるだけ投稿していきたい**ので、**週最低でも4投稿**、できれば**毎日1投稿のペース**で続けたいところです。

逆にストーリーズは数を気にせず積極的に発信していきます。可能であれば**1日3投稿**を上回りたいところです。24時間限定で公開されるストーリーズはリアルタイム性がとても重要です。フォロワーがInstagramを見たときに、ストーリーズが更新されているとアクティブなアカウントだと思われ、その後の更新も見てもらいやすくなります。

▶ 伸びる投稿ネタ探し4選

誰でも日々投稿ネタを考えるのは苦労します。そこで参考にしたいのが他ユーザーたちの投稿です。次の4つの方法でネタを探してみるとよいと思います。

①発見タブから探す

定番の探し方です。STEP 2で紹介したジャンル認知ができていれば、発見タブから参考になるネタをたくさん拾うことができます。

② ハッシュタグをフォロー

　ハッシュタグをフォローすることで、ホームにそのハッシュタグに関連した投稿が表示され、伸びているアカウントやネタを拾いやすくなります。

③ 別の投稿スタイルからリサーチ

　参考としているベンチマークアカウントの人気投稿をヒントにネタ探しするのもいいと思います。このとき、リールからフィードへ、あるいはフィードからリールへというように、違う投稿スタイルに変換して投稿するテクニックが効果的です。

リールからフィードへ、フィードからリールへ

フィード化

リール化

人気投稿の判断基準

- リールをフィード化
  直近10投稿程度の平均再生数の1.5倍以上を記録している投稿

- フィードをリール化
  直近10投稿程度の平均いいね数の1.5倍以上を記録している投稿

人気投稿をヒントに

PART
1

PART
2

STEP
1

STEP
2

STEP
3

STEP
4

STEP
5

STEP
6

STEP
7

PART
3

④ラッコキーワードでリサーチ

「**ラッコキーワード**」という、無料で使えるキーワードリサーチツールでネタを探す方法も効果的です。ネット上でどういったワードが検索されているのか、どういった話題に需要が集まっているのかを把握することができます。時に意外な需要を発見できることもあります。

　ラッコキーワードはネット上で簡単に使うことができます。

> **ラッコキーワードの使い方例**
>
> ・キーワードを入力
> ・調べたい検索エンジンを選択
> ・検索する
> ・関連するキーワードが一覧表示
> ・投稿のネタに活用

▶ 伸びる投稿の型

「私がダイエットを続けられる理由」や「買って後悔したもの」というように、思わず目を惹き開封してしまうタイトルには「型」があります。いくつか代表例を紹介するので、作成時の参考にしてみるとよいと思います。

まとめ型	結論スタート型
・〜〜まとめ ・〜〜選 ・〜〜ランキング	・たった一つの〜〜 ・私が〜〜した理由

できる・なれる型	体験談型
・〜〜できる方法 ・これだけで〜〜になれる	・〜〜して学んだこと ・〜〜して良かったこと ・〜〜で後悔したこと

ステップ型	ネガティブ型
・手順 ・フロー ・ステップ	・失敗談 ・タブー ・NG

「**買って後悔した○○5選**」というように、これらの型を複合するのもいいと思います。

　あくまでこれらは一例ですし、ターゲットや時期によって読まれやすいものも変動します。Instagramでトレンドを把握し、実際の投稿の反響も見返しつつ、適した型を研究していくことが大切です。

PART 1

PART 2

STEP 1

STEP 2

STEP 3

STEP 4

5

6

7

PART 3

▶ トンマナの重要性

　旅行ジャンルなら空や海の青を意識した投稿にする、コスメ紹介なら表紙に紹介する商品を並べるなど、**投稿のトンマナを統一することが大事**です。

　そうすることでフォロワーに認知されやすくなりアクセスが伸び、フォロワー外からもフォローされやすくなります。Instagramの評価的にも良いです。

トンマナが統一されている例

トンマナが統一されていない例

STEP 5 投稿を分析する

▶ 収益化にアカウント分析は絶対

投稿数が50を超えるあたりから始めたいのが**投稿の反響分析**です。

メディアアカウント運用でフォロワーを増やし収益化を目指すうえで、数字から課題を見いだして改善の手を入れていく段階は外せません。数字を見ずに自己判断で根拠のない工夫を施すと、さらに状況が悪化してしまうことにもなりかねません。きちんと数字を出して**分析し、根拠に基づいた改善**を促しましょう。

計算式が出てくるので難しい印象を抱くかもしれませんが、運用の成功イメージを明確にするには欠かせないステップです。できる限り分かりやすい説明を心がけるので、このステップを逃さないでください。

▶ 覚えておきたい分析関連ワード

分析のために確認したいのが「**インサイト**」です。

インサイトには分析に関わる重要な数値が示されています。

> **インサイトの専門ワード**
>
> ・**リーチ**：投稿を見たユーザー数
>
> ・**インプレッション**：投稿が表示された合計回数
>
> ・**インタラクション**：ユーザーがアクションした数

インサイトを確認

▲インサイトはアカウント全体や各投稿で確認できる

数値をチェック

▲投稿に関わるさまざまな数値をチェックできる

MEMO

インサイトが確認できない場合、プロアカウント（無料）に変更する必要があります。アカウントの「≡」アイコンから「設定とプライバシー」「アカウントの種類とツール」「プロアカウントに切り替える」を選択し、適切な手続きを経てプロアカウントへ変更しましょう。

PART 1
PART 2
STEP 1
STEP 2
STEP 3
STEP 4
STEP 5
STEP 6
STEP 7
PART 3

STEP5 投稿を分析する

7つのSTEPを踏めば誰でも稼げる 実践！インスタ副業

▶ 運用を成功に導く4つの指標

　インサイトを活用しつつ指標分析を行い、効果的な改善策を見いだしていきます。本書で紹介するのは「**ホーム率**」「**保存率**」「**プロフィールアクセス率**」「**フォロワー転換率**」の4つの指標です。

　この矢印の流れにしたがって指標を上げていけば、フォロワーは自然と増えていきます。増えていない場合、この中に問題点が存在していることになります。

運用を成功に導く4つの指標

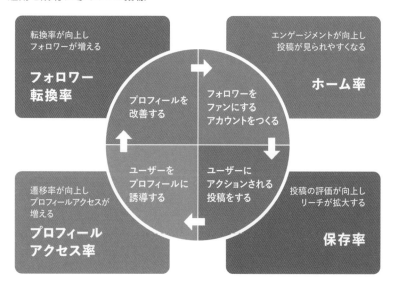

PART 1
PART 2
STEP 1
STEP 2
STEP 3
STEP 4
STEP 5
STEP 6
STEP 7
PART 3

▶ ホーム率

ホーム率とは

　ホーム率とは、<u>投稿がフォロワーのホームにどれだけ上位表示されているか</u>を計測する指標です。すなわち、フォロワーとの親密度を分析することができます。

$$ホーム率 = \frac{投稿インサイトのフォロワーリーチ数}{フォロワー数} \times 100$$

例：フォロワー数3000、フォロワーリーチ数が1500なら、ホーム率は50%

ホーム率の目標値

　フォロワー数 2000まで　………　30%

　2000〜5000　…………　40〜50%

　5000〜10000　…………　50%以上

ホーム率

ホーム率向上を最優先で行う理由

　目標値を目指して最優先で改善に着手したいのがホーム率です。これを高めないことには投稿がフォロワー内外に露出することはありません。非常に大切な指標です。

　親密度は投稿に対するユーザーのアクションによって加算されていきます。つまり「<u>ホーム率が低い＝フォロワーのホームに上位表示されていない＝フォロワーとの親密度が低い状態</u>」と言い換えることができます。

　逆にいえば「<u>ホーム率が高い＝フォロワーとの親密度が高い＝Instagramが高く評価し発見タブやハッシュタグ検索への露出も多くなる</u>」わけで、フォロワーアップと直結するのがホーム率なのです。
　ですからホーム率が30％を切るような低空飛行状態なら、何よりも最優先で改善策を講じる必要があります。

PART 1
PART 2
STEP 1
STEP 2
STEP 3
STEP 4
STEP 5
STEP 6
STEP 7
PART 3

ホーム率を高める施策

　ホーム率を高めるためには、過去の投稿からフォロワーの反応が集まりやすい投稿パターンを洗い出し、<u>ユーザーに求められている投稿づくり</u>を心がけることが重要です。さらに<u>ベンチマークアカウントや発見タブも定期巡回</u>し、ユーザーが興味を持っているネタを探し出す習慣も徹底していくようにします。

　そしてフォロワーの増加に伴って、より力を入れていきたいのがストーリーズです。親密度上昇に有効であるストーリーズを積極的に活用し、フォロワーとのさらなる密接なコミュニケーションを図りましょう。また<u>長文や長尺動画の投稿で滞在時間を延ばすのも有効</u>です。

ホーム率を高める重要シグナル

・フォロワーからの反応（いいねや保存、コメントなど）

・リールの再生数

・ストーリーズの滞在時間、スタンプへの反応

・フィード投稿の滞在時間

・アカウント同士の接触回数（コメント、相互メンションなど）

・投稿からプロフィールへのアクセス数

・投稿からフォローが入った回数

▶ 保存率

保存率とは

　保存率は**各投稿の質を測る指標**です。投稿が良いものと認識され、ユーザーに保存されればされるほど、滞在時間が長くなります。よってInstagramの評価は高まり、フォロワー外への露出も増えていきます。

$$保存率＝\frac{保存数}{リーチ数}×100$$

例：リーチ数が10000、保存数200なら、保存率は2％

保存率の目標値 ………… 2〜3％以上

保存数

投稿が保存されるには何度も見たくなる投稿、例えば面白い、興味深い、役に立つ、などの内容にする必要があります。また笑える、泣ける、楽しいなどのユーザーの感情を刺激する内容を心がけたり、投稿内で保存を誘導したりする行動喚起も欠かせません。

保存率向上を狙うハッシュタグ戦略

　保存率を高めるには**ハッシュタグからの外部流入を意識**しましょう。ハッシュタグ検索結果を見ているフォロワー外のユーザーにとって、開封したくなるテーマになっているか、保存がされやすい投稿になっているか、これらを心がけつつ、いろいろなパターンを検証していきましょう。

　重要となるのは**投稿タグ**です。投稿ごとに設定する15個程度のスモールワードやミクロワードを使ったハッシュタグの選定次第で、保存率は変わっていきます。

　例えば「ニキビ特化型！　おすすめ化粧水7選」という投稿の投稿タグについて考えてみます。

　この投稿を届けたいターゲットユーザーとしては、商品の購入を考えている顕在的な購買層がまず考えられます。よってハッシュタグにブランド名や商品名などを設定することで、顕在的な購入層の流入を狙うことができます。

　もう1つ投稿を届けたいユーザー層としては、ニキビに悩んでいて解決策を求めているユーザーです。そこでハッシュタグにニキビ解決に関連したワードを積極的につけていくことでも、保存率を上

PART
1

PART
2

STEP
1

STEP
2

STEP
3

STEP
4

STEP
5

STEP
6

STEP
7

PART
3

げることができます。

　ターゲットユーザー層だけでなく、それ以外のユーザー層にアピールする戦略が重要です。考えられるだけの幅広いユーザー層に届けられるような投稿タグを設定するよう心がけるべきです。

顕在的なユーザーと解決策を求めるユーザーを狙った投稿タグ例

投稿「ニキビ特化型！　おすすめ化粧水７選」の場合

＜投稿タグ例＞

#白ニキビ　#赤ニキビ　#ニキビ跡　#ニキビ対策　#ニキビ改善　#肌荒れ改善　#お肌ケア　#ニキビ化粧水　#おすすめ化粧水　#商品名　#ブランド名　#美肌になりたい　#肌きれいになりたい　#ニキビ治したい　#ニキビに効く

　上記の投稿タグ例のうち、「#白ニキビ」や「#赤ニキビ」といったワードはスモールワードのなかでも比較的大きなワードで競合が多く、これらの**ハッシュタグ経由での流入は、影響力が小さい運用序盤は特に少ない傾向**にあります。

　そこであえて「#美肌になりたい」「#ニキビ治したい」といったミクロワードのなかでも検索結果が少ないワードをたくさん投稿タグとして設定することで、解決策を求めるユーザーを集めるテクニックもあります。

これらハッシュタグの選択や大小バランスは、運用の時期や
Instagramの評価、扱うテーマによってもまちまちであり、確たる
正解はありません。いろいろな組み合わせを試してみて、過去のイ
ンプレッションを参考にしつつ、保存されやすい投稿のパターンを
つかんでいくようにします。

▶ プロフィールアクセス率

プロフィールアクセス率とは

　プロフィールアクセス率とは、<u>投稿を見にきたユーザーの数に対
して、どれだけの割合でプロフィールにもアクセスしたのかを計測
した数字</u>です。

$$\text{プロフィールアクセス率} = \frac{\text{プロフィールアクセス数}}{\text{リーチ数}} \times 100$$

例：リーチ数10000、プロフィールアクセス数200なら、プロフィールアクセス率は2％

> **プロフィールアクセス率の目標値** ………… 2％以上

PART 1
PART 2
STEP 1
STEP 2
STEP 3
STEP 4
STEP 5
STEP 6
STEP 7
PART 3

STEP5　7つのSTEPを踏めば誰でも稼げる　実践！インスタ副業

STEP5　投稿を分析する

プロフィールアクセス数

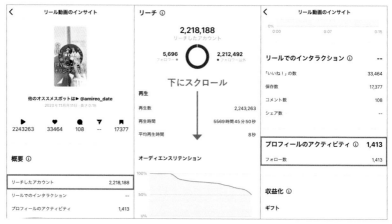

▲プロフィールアクセスはインサイト内のリーチ詳細の下部で確認できる

　ユーザーの大半はアカウントをフォローするかどうかの**判断材料としてプロフィールを確認**します。よってプロフィールアクセス率が低かった場合、せっかく投稿を訪れるユーザーがたくさんいるのに、フォロワーになってもらう機会を逃し続けている、非常にもったいない状態だということがうかがえます。

プロフィールアクセス率を高める施策

　投稿からプロフィールへのアクセスを促すには、**投稿内でアカウントに関する情報を訴求していくことが重要**です。さらにプロフィールを常に更新し、ユーザーに飽きられないような工夫も必要です。また**プロフィールアクセスへのリンクを随所に設置することも意識**しましょう。

誘導画像からのプロフィール誘導

アクションを促す画像
（CTA〈Call to Action〉画像）

関連画像を掲載し
プロフィールアクセスを促す

イラストと文章で
保存を促す

▲投稿画像の最後にアカウント情報を訴求する誘導画像を差し込み、プロフィールへのアクセスを促す

PART 1
PART 2
STEP 1
STEP 2
STEP 3
STEP 4
STEP 5
STEP 6
STEP 7
PART 3

7つのSTEPを踏めば誰でも稼げる　実践！インスタ副業

STEP5　投稿を分析する

キャプション内での自メンションによるプロフィール導線

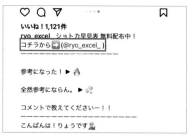

▲キャプション内でアカウント情報を訴求、プロフィールへの遷移を促す

　こういった細かな作業を丁寧に行えるかどうかでプロフィールアクセス率は大きく変動します。面倒くさがらずに日々の作業として習慣づけることが大切です。

▶ フォロワー転換率

フォロワー転換率とは

　プロフィールにアクセスしたユーザーのうち、**どれだけフォロワーになってくれたのかを分析**できるのがフォロワー転換率です。

$$\text{フォロワー転換率} = \frac{\text{フォロワー増加数}}{\text{プロフィールアクセス数}} \times 100$$

例：ある投稿のプロフィールアクセス数が200、フォロワー増加数が10なら、
　　フォロワー転換率は5％

> **フォロワー転換率の目標値** ………… 5％以上

PART 1
PART 2
STEP 1
STEP 2
STEP 3
STEP 4
STEP 5
STEP 6
STEP 7
PART 3

一定期間のアカウント全体や投稿ごとなど、さまざまな範囲でフォロワー転換率を算出してみます。それによってどういった投稿がフォロワーを集めやすいかをより詳しく分析できます。

ユーザーは、**アイコンやプロフィールをフォローするかどうかの重要な判断材料**にします。魅力的なプロフィールになっていれば、たとえリーチの少ない投稿であったとしても、効率的にフォロワーを増やしていくことができます。フォロワー増加の最終拠点ですから、**プロフィールは定期的に見直し磨きをかけていくことが大事**です。

フォロワー転換率を高める施策

プロフィールページに掲載されている、アイコン、プロフィール文、フィード投稿、全体のトンマナなど、すべてに工夫を凝らしましょう。すでにある投稿を参考にするのもいいですが、どこかで見たことがあるようなものではなく、**オリジナリティあふれる独自のもの**になればより効果的です。

正解というものはないので**適度に変えて検証していく姿勢が大切**です。特にプロフィール文は頻繁に変更しフォロワー転換率を分析することで、フォロワーが増加するベストな状態を見極めていくことができます。ほかにもアイコンや名前を変更したり、全体の色合いといったコンセプト面を見直したりすることで、フォロワー転換率を分析できます。**目標値である５％を維持できる状態**を目指しましょう。

▶ ハイライトが整理されているとフォローされやすい

　ハイライトはストーリーズをプロフィール上に残しておける機能です。過去のストーリーズをカテゴリーごとに分類したり、イベントの様子をまとめたりとさまざまな活用ができます。

　このハイライトが整理されているほど、ユーザーからフォローされやすい傾向にあります。

良いプロフィールページの例

▲ハイライトが見やすく整理されている

▶ 4つの指標は循環式に対策する

　以上4つの指標を紹介しましたが、注意すべき点は、各指標を一つずつ改善していくのは決して「得策ではない」ということです。「ホーム率が良くなってきたら、次は保存率向上を目指そう」というような順を追った段階的なやり方は効果的ではありません。

　なぜなら、せっかくホーム率が向上してたくさんのユーザーに露出するようになっても、プロフィールアクセス率やフォロワー転換率向上に着手していないままだと、フォロワーアップのチャンスをみすみす逃すことになってしまうからです。

　したがって大事なことは、この4つの指標をぐるぐると循環式に改善していくことです。一つだけを重点的に改善するのではなく、**常に各指標に目を向けて対策していく**ようにしましょう。

4つの指標まとめ

チェック項目	目指す値と計算式	改善ポイント
ホーム率	**30〜50%以上** （フォロワーリーチ数÷フォロワー数）	既存フォロワーへのストーリーズ施策を見直す
保存率	**2〜3%以上** （保存数÷リーチ数）	ユーザーニーズと投稿内容を見直す
プロフィールアクセス率	**2%以上** （プロフィールアクセス数÷リーチ数）	投稿→プロフィールへの導線を見直す
フォロワー転換率	**5%以上** （フォロワー増加数÷プロフィールアクセス数）	コンセプト設計とプロフィールを見直す

PART 1
PART 2
STEP 1
STEP 2
STEP 3
STEP 4
STEP 5
STEP 6
STEP 7
PART 3

STEP5　投稿を分析する

7つのSTEPを踏めば誰でも稼げる　実践！インスタ副業

▶ 数値化、分析することがより良い運用のヒントに

　Instagramの運用を成功させるには日々のインサイト分析とリサーチが重要です。例えば、下記を分析し、管理をしていく必要があります。

> **分析**
>
> ・競合アカウント分析
>
> ・アカウントの評価（7段階評価）
>
> ・フィード／リール／ストーリーズの各データ分析
>
> ・フォロワー数の増減
>
> ・ホーム率やフォロワー転換率など

　これらをInstagramアカウントを運用する分析ツール「InStas」で数値化することで、ターゲットに届く洗練された運用が可能になります。

> **数値化**
>
> ・ダッシュボード　　　・他アカウント調査
>
> ・初速分析　　　　　　・投稿比較
>
> ・ハッシュタグ分析　　・UGC投稿分析
>
> ・フォロワー分析　　　・カスタムレポート
>
> ・PDCAカレンダー

PART
1

PART
2

STEP
1

STEP
2

STEP
3

STEP
4

STEP
5

STEP
6

STEP
7

PART
3

　現在Instagramでは、ランキングアルゴリズムを公表しています。投稿が拡散されるためにはInstagramの「発見タブ」に掲載される必要があるため、投稿への反応の速さを確認する<u>初速分析が重要</u>になっています。ほかにも、「InStas」を使うことで検索ハッシュタグからのリーチを最大化し、より狙いを定めたターゲット訴求ができ、保存率、マネタイズの向上にもつながります。また運用アカウントのフォロワーの性質やアクセス状況を分析、フィードやストーリーズの投稿時間、ターゲットにリーチできているかの判断材料にも役立ちます。

　アカウントの評価や投稿データ、ホーム率やフォロワー転換率などは、Instagramを運用するうえで欠かすことのできない重要な指標です。より効率的に洗練された情報で、Instagramを分析していくことがインスタ副業を成功させる近道です。さっそく自分のアカウントや、ジャンルの近いアカウントを分析して、より良い運用のヒントを手に入れましょう。

ダッシュボード

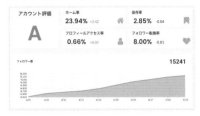

　ダッシュボードでは、アカウントの評価（7段階評価）、フィード／リール／ストーリーズの各データ、フォロワー数の増減、ホーム率やフォロワー転換率などを確認することができます。Instagramを運用するうえで非常に重要な指標を数値化することでより洗練された分析が可能となります。

ハッシュタグ分析

　Instagramで#○○と検索したときに、50位以内までであれば、自分の投稿が何位に表示されているかを分析することができます。そのため、アカウントレベルに合わせた適切なハッシュタグの選定が可能となります。検索ハッシュタグからのリーチを最大化し、より狙いを定めたターゲット訴求をすることで、保存率、マネタイズの向上を図ることができます。

他アカウント調査

　設定したアカウントの情報を確認、分析することができます。アカウントの動向の追跡や自分のアカウントとの比較を行い、それぞれの長所・短所を知ることで、他アカウントにはない強みを見つけるヒントとなります。

初速分析

　フィードやリールを投稿後、３時間、１日、７日経過時データの数値化により、投稿ごとに伸び方の違いを分析することができます。この初速とは、投稿後のエンゲージメントの伸び方を指しています。
　現在のInstagramの仕様では、ランキングアルゴリズムが公表されています。投稿が拡散されるためにはInstagramの「発見タブ」に掲載される必要があるため、投稿への反応の速さを確認する初速分析がとても重要です。

PART
1
PART
2
STEP
1
STEP
2
STEP
3
STEP
4
STEP
5
STEP
6
STEP
7
PART
3

マネタイズ

▶ マネタイズまでの流れ

　投稿を分析するための各指標が目標値近辺まで到達し、フォロワー内外への露出が高まってきたら、いよいよ収益化のステップに入ります。

　本書では収益化の第一歩としてアフィリエイトで稼ぐことを1つ目のゴールとしています。

　アフィリエイトの収益化タイミングにフォロワー数はあまり関係がありません。フォロワー数百人程度からでも収益化は問題なく始められます。序盤に**大事なのはフォロワーの多さよりも、Instagramに高く評価され、フォロワー外から流入してきた層に対して、商品購入を喚起できるフロー作成がポイント**となります。そこでまずアフィリエイトによる商品購入までの流れを、フォロワー外ユーザーからの目線で押さえていきます。

ユーザー側から見た商品購入までの導線

① ハッシュタグ検索もしくは発見タブで商品PR投稿（フィードまたはリール）にたどり着く

② PR投稿を通して購買意欲が高まる

③ 特典などに惹かれてPRハイライトへ遷移

④ PRハイライトで意思決定したユーザーが商品販売ページへ

⑤ 商品購入により成約

PART 1

PART 2

STEP 1

STEP 2

STEP 3

STEP 4

STEP 5

STEP 6

STEP 7

PART 3

　以上の流れから、ユーザーはPR投稿、PRハイライト、そして商品販売ページの順に導線を進んでいくことになります。このうち商品販売ページは、企業や広告代理店など販売サイドが用意するものなので、アカウント側はPR投稿とPRハイライトを準備することになります。

　よってアフィリエイトを活用したマネタイズには以下の作業が必須となります。

マネタイズに必要な作業

・商品選定

・商品を購入またはサンプルを取り寄せ、訴求点を確認

・PRストーリーズ投稿

・PRハイライト構築

・PR投稿（フィード／リール）

　最低限、この順番にこなすことで収益化できます。また、1つの商品につきPR投稿を1つ作成するのではなく、いくつも作成し間隔をおきながら発信していくことになります。

　流れはとてもシンプルですが、やり方や見せ方次第で結果が大きく変わります。一つひとつの工程のなかでオリジナルな工夫を追加していくことで、よりユーザーの購買意欲を向上させていくことが大切です。

流入元の違いによるスタイルの違い

　ユーザーがPR投稿を見るきっかけの多くがハッシュタグによるものと発見タブによるものという2パターンです。

流入元の違い

① ハッシュタグ流入を狙う

② 発見タブ流入を狙う

　両者の違いは情報を受け取るまでの経緯にあり、能動的か受動的かという明確な心理差があります。

ハッシュタグ検索＝能動的な情報収集

　リーチ数自体は少ないが、自ら検索しているので成約率は高い

発見タブ露出＝受動的な情報収集

　リーチ数は多いが、たまたま見かけての訪問なので成約率は低い

PART 1
PART 2
STEP 1
STEP 2
STEP 3
STEP 4
STEP 5
STEP 6
STEP 7
PART 3

　ハッシュタグ検索による顕在層か、発見タブ露出による潜在層か、どちらへのアプローチを想定するかで、商品選定やPR投稿の内容、導線のつくりも変わっていきます。

　ただここで覚えておきたいのは、**Instagramに評価されたアカウントは、ハッシュタグ検索された際に上位表示されやすい点**です。またハッシュタグ検索経由でのリーチを稼げていると、発見タブでの露出も上がっていきます。

　よって**マネタイズ序盤は特にハッシュタグ流入からのリーチ、商品購入を狙うことが効果的**です。まずは商品名やブランド名、悩みごとの詳しい内容や具体的なメリットなどを投稿タグに設定し、ハッシュタグ検索でヒットしやすくしていきます。

▶ 商品選定

自アカウントのジャンルと親和性の高い商品を選ぶべきか

　アフィリエイトにおいて商品選定は非常に重要なフェーズです。

　自アカウントのコンセプトやフォロワーの属性から、紹介する商品を選定することも重要ですが、フォロワー外への露出頻度が増えてきたら、**フォロワー外を意識したPR投稿が効率的**です。

　ですからフォロワーの属性や取り扱いジャンルで商品を決めるだけでなく、**Instagram全体の中でトレンドとなっているもの、購入期待値の高いものを選ぶようにすることが重要**です。

信憑性の高い商品を選ぼう

商品選定の際は次のような基準で決めていくようにしましょう。

マネタイズに必要な商品の基準

・たくさんの人が使っている商品 ・口コミの多い商品

・話題の商品 ・有名人が使っている商品

・バズっている商品 ・トレンディ（流行的）な商品

これら選定基準に共通しているのは信憑性の高さです。信頼できる商品なのかどうかは常に念頭に置いておくべきです。

①ASP内で商品をリサーチ

具体的な商品選定のやり方ですが、まず一つとして広告仲介を営む**ASP（アフィリエイトサービスプロバイダー）が扱っている商品リストの中からリサーチする方法**があります。

ただASP内にある商品というのは、話題性やトレンディなどに必ずしも合致しているとは限りません。広告会社や企業がすすめたいだけの、話題性の低いものも多々あります。なかには信憑性の面で疑わしい商品がないとも限りません。

一つの情報だけで判断するのではなく、商品の周辺情報を収集し、**情報の信憑性を確認したうえで商品を選定する**必要があります。報酬単価の良し悪しだけで決めるのはやめるべきです。

PART 1

PART 2

STEP 1

STEP 2

STEP 3

STEP 4

STEP 5

STEP 6

STEP 7

PART 3

　商品選定基準と照らし合わせながら、慎重に商品選定を行うことが大事です。

②扱いたい案件商品名でハッシュタグ検索

　ASPをスタート地点にして商品選定するよりも、<u>Instagram内でのボリュームから商品選定</u>をするほうが、信憑性が高く結果の出しやすい商品を見つけることができます。

　フル活用したいのが**ハッシュタグ検索**です。SNSやテレビCM、雑誌などで気になる商品をキャッチしたら、Instagram内でハッシュタグ検索し、どれだけのインスタグラマーが紹介レビューを投稿しているかリサーチします。フォロワー数が数万規模の大きなメディアアカウントでPRしているのをいくつも見かけたら、信頼できる商品、すなわち「<u>売れる案件</u>」と判断していいでしょう。

　商品が見定まった段階でASPにてその商品を扱っているかを確認し、扱っていればこの商品を選定しPRストーリーズをつくる段階に進みます。もし扱っていなければ、商品のリサーチに戻るか、ほかのASPにないか調べてみるといいと思います。

売れやすい商品の共通点

　売れやすいという点ではやはり話題性に富んだ商品が注目されやすいですが、ほかにも売れやすさにつながる要素がいくつかあります。

　まず商品価格は非常に重要です。基本的には**3000円以下のものがユーザーにとって気軽に手が届きやすく人気**を博します。

　またASPの商品には定期購入の商品も多いですが、**単発の買い切り商品のほうが売れやすい傾向**にあります。

　さらに多くの商品は**30％オフなどの割引価格で購入できる**といった購入者特典がついています。商品をPRする際の訴求材料となるので、**お得感の強い案件**かどうかも商品選定の基準としたほうがよいと思います。

PR投稿に盛り込みたい5要素

① 悩み、問題提起

② 興味づけ、使用感

③ 読者が得られる恩恵

④ 口コミなど評価、実績

⑤ 特典や割引情報と出口誘導

PRリール投稿例

①興味づけ

「辛口レビュー!」の文言で広告感をなくし、その後の情報の信頼性を高める

②導入

口コミ感を演出(商品購入を検討しているユーザーは口コミを知りたい)

③共感

フォロワー視点で共感をつくる

④使用感

商品を使う場面を連想させ、悩みを解決できることを匂わせる

⑤ベネフィット

商品利用でどうなるのか?を伝える

⑥絞り込み

〇〇のような保湿力、無添加、敏感肌という文言でさらに興味づけ

⑦デメリット

デメリットをあえて伝えることで情報の信頼性を高める

⑧口コミ

購入を悩んでいるユーザーに対し、口コミを共有し後押しする

⑨限定性や希少性

インスタ経由がいちばん安いと伝え購入ハードルを下げる

⑩CTA

分かりやすい誘導でプロフィールアクセスを促す

◀他商品の紹介(ランキングなど)、案件商品のPR、最後にハイライトへ誘導

▶ PRストーリーズ

商品販売ページへつなぐ出口

　フィードやリールといった通常の投稿は、外部サイトへのリンク機能が備わっていません。したがって、リンクスタンプを設置できるPRストーリーズを出口として、販売ページへと促すことになります。**PRストーリーズはマネタイズ化において重要なポジション**を担います。

　普段から投稿を読んでくれているフォロワー、ハッシュタグや発見タブから流入してきたフォロワー外ユーザー、どちらもこの**PRストーリーズを介して商品購入を決定**します。

　PRストーリーズをつくるうえで、以下の2点は確実に押さえておいてください。

PRストーリーズで忘れずにやること

① ASPから商品のアフィリエイトリンクを発行しストーリーズ内にリンクスタンプで設定する

② 商品PRであることを知らせるため、「タイアップ投稿ラベル」を設定する（ストーリーズ編集画面上部の「ブランドコンテンツ」から「タイアップ投稿ラベルを追加」をONにする）

タイアップ投稿ラベルを追加

そのほかPRストーリーズで気をつけたい基本事項

・商品の画像や動画をふんだんに使う

・使った感想を分かりやすく伝える

・文字は小さくなりすぎないようにする

・商品の特徴を簡潔に伝える

・文章が長くなりすぎないようにする

PRストーリーズ構成

PRストーリーズは以下のような流れで構成しましょう。

PRストーリーズ構成

① 悩みの明確化

② 解決策の提示

③ 背中を押す

PART
1

PART
2

STEP
1

STEP
2

STEP
3

STEP
4

STEP
5

STEP
6

STEP
7

PART
3

①悩みの明確化

　PRストーリーズを訪れたユーザーは、商品に興味をもっていたり、**商品が自分の悩みを解決してくれるのではないかという期待**を抱いていたりします。その興味や悩みを明確にすることで潜在的なニーズを浮き彫りにし、**ストーリーズの先へと進めさせる動機づくり**となるよう心がけましょう。

> **「悩みの明確化」作成時のポイント**
>
> ・一般的な話題からの導入で興味づけ
>
> ・悩みを具体的に書き出す
>
> ・現状を変えたい気持ちを奮い立たせる、現状を変えられることを予感させる
>
> ・2択のアンケートでニーズ可視化（集団心理による興味づけ）
>
> ・次へとつなげる導線設計

②解決策の提示

　明確化した悩みの解決策を提示します。

> **「解決策の提示」作成時のポイント**
>
> ・商品を利用することで得られる利点を伝える
>
> ・自分が使ってみての感想や口コミを入れる
>
> ・やらないことのデメリットにも触れる

③背中を押す

　商品を使ってみるかどうか悩んでいるユーザーに向けて、最後の一声をかけて背中を押してあげましょう。

> **「背中を押す」作成時のポイント**
>
> ・リンクはカスタマイズし目立つ位置に配置
>
> ・マイクロコピー（リンク周りのコピー）で目立たせる
>
> ・行動のハードルを下げる工夫を凝らす
>
> ・GIFやマーカーで装飾する
>
> ・「今行動しないと損」を強調する
>
> ・緊急性を伝え行動喚起を促す

PRストーリーズ構成

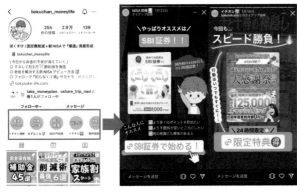

▲PR投稿と同様に5つの要素で構成する。要所に販売ページへのリンクを貼る

PRストーリーズ例

①問題提起

自身の経験談を交えることでより具体的に問題を想起させる

②共感

問題にした内容はひとごとではなく、自分も体験していて読者と同じ立場であることを伝える

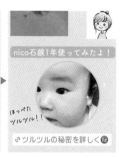

③解決策

商品を使う場面を連想させ悩みを解決できることを匂わせる

④提案

商品の根拠と実績を見せて、商品の必要性を感じさせる

⑤絞り込み

購入を悩んでいるターゲットに対し口コミを共有し、後押しする

⑥行動

限定性やお手軽さを提示し購入ハードルを下げ、商品LPに導く

PART
1
PART
2
STEP
1
STEP
2
STEP
3
STEP
4
STEP
5
STEP
6
STEP
7
PART
3

▶ PRハイライト構築

　PRストーリーズが完成したらハイライトに設置しましょう。ストーリーズは24時間後に消えてしまいますが、ハイライトに入れておけば残しておくことができます。

　PRハイライトを構築することで、ランディングページ（LP）への経路をプロフィールに常時表示しておくことができます。ユーザーからの継続的な商品購入が狙え、収益を自動で生み出す仕組みの重要拠点となります。

　PRハイライトにおいて**力を入れたいのがハイライト名やカバー画像**です。ユーザーが一目見て意味が分かることはもちろん、より中の**PRストーリーズを見たくなってしまうネーミングや画像にする**ことで、効率的にマネタイズを狙うことができます。

　商品への関心が高くすでに検討している顕在層と、商品を認知していない潜在層、どちらに訴求するかによって、PRハイライトの見た目は変わってきます。

①顕在層向けPRハイライト

顕在層に対しては、ユーザーが商品を認知しやすいよう、**商品名や内容をそのままハイライト名に反映する**ことで効果的な流入を狙えます。

特にフィードやリールのPR投稿から流入したユーザーは顕在層が多いので、どこに商品の詳細があるか一目で分かる設計にすることで成約率の向上につながります。

②潜在層向けPRハイライト

潜在層に対しては、商品名ではなく、**ターゲットの興味を惹くハイライト名を設定**するといいでしょう。

商品	×	△	○
シャンプー	○○シャンプー	神シャンプー	ツヤ髪の秘訣
ダイエットサプリ	○○サプリ	脂肪カット	体型維持テク
健康ドリンク	○○ドリンク	鉄分補給	睡眠改善
化粧品	○○ケア	ニキビケア	ツルスベ肌
ポイ活アプリ	○○アプリ	スキマ時間	お小遣い稼ぎ

ハイライトをタップした先にあるストーリーズの構成によっては、「愛用グッズ」や「私のおすすめアイテム」のように、流入の間口を広げたハイライト名も効果的です。特にフォロワーや普段の投稿からプロフィールに流入したユーザーは潜在層が大多数のため、興味を惹くハイライトを設置できるほど誘導しやすいです。

▶ PR投稿（フィード／リール）の作成

フォロワー外ユーザーをハイライトへ促す導線

　PRストーリーズに加え、フィードやリールによるPR投稿も行うことで、フォロワー外ユーザーをハイライトへ誘導することができ、よりマネタイズ化を加速できます。

PR投稿で期待できるターゲット流入

・ハッシュタグ検索経由による成約率の高い顕在層の流入

・発見タブによる大量の潜在層の流入

　PR投稿をつくるために、以下を準備として行いましょう。

PR投稿作成のための下ごしらえ

・紹介する商品の特徴洗い出し

・シナリオ構想

まずは**商品の特徴、訴求ポイントを洗い出し**ます。商品の魅力や強みを理解できているほど効果的な訴求を生み出すことができます。したがって商品にひもづいた情報はできるだけ集めて特徴を洗い出していきましょう。

商品の特徴をとらえるためのおすすめ方法

・LPを確認して抽出

・他アカウントのPR投稿をリサーチ

・インスタ内やGoogle検索で口コミのリサーチ

・実際に商品を使用する

　続いて洗い出した訴求ポイントを基に、「**誰に**」「**どんな状態を**」「**どんな理由で**」訴求するのかを意識しシナリオを構想します。

シナリオ構想例

＜石鹸の場合＞

誰に　　　　：肌荒れに悩むお子さまを持つ30～50代の女性

どんな状態を：生まれつきの肌荒れが改善し、アトピーに悩む生活から解放された

どんな理由で：石鹸を使うことで肌荒れを改善する

PART
1

PART
2

STEP
1

STEP
2

STEP
3

STEP
4

STEP
5

STEP
6

STEP
7

PART
3

PR投稿構成

　仕上がったシナリオを基に、**外部ユーザーをハイライトへ誘導するためのPR投稿**を作成しましょう。作成時のコツは、**ユーザーの離脱ポイントを極限まで減らし**、PR投稿からPRハイライト、そしてPRストーリーズからLPまで、迷うことなく一直線でたどれるような設計を心がけることです。

PR投稿で忘れずにやっておくこと

PRストーリーズと同様「タイアップ投稿ラベル」をつけましょう。「新規投稿作成」から「タイアップ投稿ラベルを追加」を選択、「タイアップ投稿ラベルを追加」をオンにします。なお、タイアップ投稿ラベルのついた投稿は一般的な投稿と同じように評価表示されるとのことです。

タイアップ投稿ラベルを追加

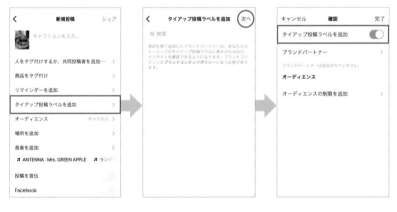

S
T
E
P
6

7
つ
の
S
T
E
P
を
踏
め
ば
誰
で
も
稼
げ
る

マ
ネ
タ
イ
ズ

実
践
！
イ
ン
ス
タ
副
業

①ハッシュタグ流入の顕在層向けPR投稿

　商品名をハッシュタグ検索して流入した顕在層は、その商品の詳細が知りたい検討ユーザーです。そこで**ダイレクトな商品紹介**を強めに訴求しましょう。**商品自体のメリットや恩恵を訴求する**ことで成約率が高くなる傾向があります。

顕在層向けPR投稿の構成

① 悩み、問題提起

② 興味づけ、使用感

③ ユーザーが得られる恩恵

④ 口コミなど評価、実績

⑤ 特典や割引情報を盛り込んだ行動喚起

　以上の要素を盛り込んだ5部以上の構成でPR投稿を作成します。

① 悩み、問題提起

　ユーザーの抱える悩みを掘り起こし、共感を生み出します。

> **作成時のポイント**
>
> ・具体的な状態や事例で問題を想起させる
>
> ・3秒以内で読めるデザインにする
>
> ・イラストも入れると連想しやすい
>
> ・文字に強弱をつける
>
> ・画像は訴求に沿ったものを選定

顕在層向けの表紙　　　　　　導入　　　　　　　　問題提起

▲広告感のない表紙と具体的事例で、ユーザーが使用時を想起させるように意識

PART 1
PART 2
STEP 1
STEP 2
STEP 3
STEP 4
STEP 5
STEP 6
STEP 7
PART 3

STEP6 マネタイズ　7つのSTEPを踏めば誰でも稼げる　実践！インスタ副業

②興味づけ、使用感

商品の魅力を実体験ベースで伝えます。

> **作成時のポイント**
>
> ・商品の魅力を発信する
>
> ・読者に共感を抱かせる
>
> ・サービスを使うまでのストーリーを語る
>
> ・商品を使う場面を連想させる画像や動画を入れる
>
> ・自分の口コミを記載する

興味づけ　　　　　　　使用感①　　　　　　　使用感②

▲使用に至るまでのストーリー、商品メリット、キャッチコピーを記載し、読者にイメージさせる

③ユーザーが得られる恩恵

　ユーザーの求める未来を言語化し、「この商品が欲しい」と思わせます。

作成時のポイント

・「商品の利用でどうなれるのか？」を伝える
・サービス内容を深掘りして伝える
・商品画像は訴求に沿ったものを選定

ベネフィット

自分自身の口コミも交える▲

④口コミなど評価、実績

　商品を使う場面を連想させ、より欲しいという感情を刺激します。

作成時のポイント

・商品の根拠と実績を見せる
・サービス内容を深掘りして伝える
・文字に強弱をつける
・語彙の重複を避ける

口コミ

リアルな口コミで信頼性アップ▲

PART 1
PART 2
STEP 1
STEP 2
STEP 3
STEP 4
STEP 5
STEP 6
STEP 7
PART 3

7つのSTEPを踏めば誰でも稼げる　実践！インスタ副業

STEP6　マネタイズ

⑤特典や割引情報を盛り込んだ行動喚起

「今ここで決めないと損をする」というような、思わず行動したくなる要素を盛り込みます。

作成時のポイント

・限定性や希少性を見せる

・商品の恩恵、ないことのデメリットを強調する

・購入導線を明確にする

・お試しや買い切り、無料特典など、購入までのハードルを下げる

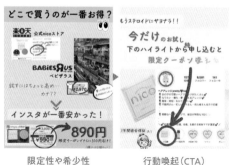

限定性や希少性 　　　　　　行動喚起（CTA）

▲購入を後押しするような限定性や希少性を示し、購入まで分かりやすく誘導

PART 1

PART 2

STEP 1

STEP 2

STEP 3

STEP 4

STEP 5

STEP 6

STEP 7

PART 3

②発見タブ流入の潜在層向けPR投稿

　発見タブに表示されている表紙が気になって流入してきた潜在層ユーザーには、いきなり商品のPRをしても購買意欲を刺激することはできません。ダイレクトな商品紹介のPR投稿ではなく、普段の投稿に近い趣旨の導入にし、最後に**自然な流れで商品を紹介する構成**にしましょう。したがって潜在層向けのPR投稿は、**アカウントジャンルや発信テーマに関連した商品紹介**に限られます。

　例えばレシピ系ジャンルなら、料理するリール投稿の最後に「料理をおいしくする○○はハイライトに！」と誘導することでPR投稿とできます。

　3つ実用例を紹介します。

　1つ目は複数の商品を紹介する投稿を通して、PRしたい商品を自然な流れで訴求するPR投稿です。

　2つ目の実用例は、普段どおりの投稿内にPRを差し込むパターンです。投稿の後半から案件PRの興味づけをし、ハイライトへ誘導します。

　そして3つ目は発信テーマに関連した商品紹介で外部流入を狙う実用例です。

複数商品の紹介で自然な訴求を狙う実用例

①表紙

ユーザーに対して複数商品を訴求し潜在層を流入させる

②各項目

ナイトケアという商品に関連した情報でユーザーに対して自分磨きの意識を想起させる

③各項目

化粧品だけでなくインナーケア商品も紹介する

④各項目

各商品の使用感を入れることでレビューの信頼性を高める

⑤各項目

キャッチコピーに敬語を使わない。各商品のレビューによって離脱を防ぐ

⑥各項目

最後に訴求商品を配置することでより自然に誘導できる

⑦問題提起

具体的な事例でユーザーの問題を想起させる

⑧不安を煽る

さらに不安を煽り、解決策を見たくなるように誘導する

⑨解決策

使用感とともに、ユーザーの悩みを解決できることを伝える

⑩CTA

「最安はここから」という文言でハードルを下げつつ、分かりやすい誘導でプロフィールアクセスを促す

PRしたい商品が特定のナイトブラであれば
表紙を
「女子力爆上がり最強ナイトケア10選」とし、
前半の4〜6枚で情報発信、
後半の4〜6枚で案件商品のPR、
最後にハイライトへ誘導

普段どおりの投稿内でPRする実用例

① 潜在層向け表紙

普段の育児系発信をしているため潜在層が流入しやすい

② 問題提起

口コミを交えつつ具体的な事例でユーザーの問題を想起させる

③ 各項目

案件商品と同じターゲットの投稿ネタで後半の訴求の違和感を軽減

④ 各項目

金額や使用感など具体的な情報を記載し信頼性を高める

⑤ 各項目

金額や使用感など具体的な情報を記載し信頼性を高める

⑥ 各項目

金額や使用感など具体的な情報を記載し信頼性を高める

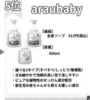

⑦ 各項目

案件商品よりも高い商品が多いため後半の訴求が刺さりやすくなる

⑧ 限定性や希少性

「安く購入できる」という文言で購入ハードルを下げる

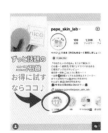

⑨ CTA

分かりやすい誘導でプロフアクセスを促す

PART 1
PART 2
STEP 1
STEP 2
STEP 4
STEP 5
STEP 6
STEP 7
PART 3

STEP6 マネタイズ

7つのSTEPを踏めば誰でも稼げる　実践！インスタ副業

発信テーマに関連した商品紹介で外部流入を狙う実用例

①権威性

「毎月星野リゾートに旅行している」という文言によっておすすめする商品がより魅力的に見える

②権威性

「星野リゾートオタク」という文言によっておすすめする商品がより魅力的に見える

③絞り込み

使用目的を提示して購入ユーザーを絞り込む

④提案

キャッチコピーでユーザーの興味を惹く

⑤提案

自然光を取り入れて商品を良く見せる

⑥使用感

大容量という商品メリットを「2泊分は余裕」という文言に言い換える

⑦使用感

実際にPCを入れる場面を見せることによってイメージしやすくする

⑧コメント誘導

コメント誘導するためにユーザーに対して問いかけを入れる

⑨限定性

セール期間情報でユーザーに対して早く行動しないといけないという感情を促す

⑩CTA

分かりやすい誘導でプロフィールアクセスを促す

　以上のように、顕在層向けと潜在層向け、それぞれでPR投稿の構成は大きく異なります。どちらかに偏ることなく、反応を検証しながらバランス良くPR投稿をつくり発信していきましょう。

ハッシュタグ認知を意識する

　フォロワー外からの大量の流入を実現するためにハッシュタグ戦略は欠かせません。ここで思い出したいのはハッシュタグ認知です。同一または関連する<u>ハッシュタグを付けた投稿を10投稿以上行う</u>ことで、ハッシュタグ認知が入り、ハッシュタグ検索で上位に表示されやすくなります。PR投稿を作成していく際はこの点に注意して、できるだけ1つの商品紹介に注力しましょう。最初は成果が出なくても、少しずつInstagramに評価されていき、フォロワー外ユーザーからのリーチを獲得することができます。

　また上記の理由から、マネタイズ序盤は特に<u>ハッシュタグ流入からのリーチを狙うと効果的</u>です。<u>商品名やブランド名、悩みごとの詳しい内容や具体的なメリットなどを投稿タグに設定</u>し、ハッシュタグ検索でヒットしやすくするのがコツです。こうすることでハッシュタグ検索で上位に表示されていき、自然と発見タブでも取り上げられるようになります。

PART
1
PART
2
STEP
1
STEP
2
STEP
3
STEP
4
STEP
5
STEP
6
STEP
7
PART
3

▶ ユーザーが求めているのはリアルな情報

Instagram ユーザーが求めているのはリアルな情報です。ハッシュタグで検索しPR投稿にたどり着く顕在層は特に、<u>リアルで信憑性の高い情報</u>を欲しています。

ハッシュタグ検索結果には競合のPR投稿も居並ぶことになるので、それらに見劣りしないよう、「<u>生の情報が入っていそうだ</u>」と思わせる表紙をつくるような工夫が必要です。いかにも広告PR感満載な表紙は、ほかの投稿に埋もれてしまうだけでなく、ユーザーの反発を買う恐れもあるのでNGです。

思わず開きたくなるPR投稿表紙の例

PART
1

PART
2

STEP
1

STEP
2

STEP
3

STEP
4

STEP
5

STEP
6

STEP
7

PART
3

▶ メリットではなくベネフィットで心をつかむ

　商品の単なるメリットだけでなく、メリットを受けた先で待っている具体的な変化や体験、いわゆる**ベネフィットを盛り込んだPR投稿**にすることで、ユーザーの心をよりつかむことができます。

> **ベネフィット活用例**
>
> 　肌荒れやアトピーなどを軽減する石鹸の場合
>
> 　メリットのみ　　「肌荒れやアトピーを改善できます！」
>
> 　ベネフィット入り「肌荒れやアトピーを改善し、毎日ハンドクリームや薬を塗る手間から解放されましょう！」

　ベネフィットにはさまざまな切り口が考えられますし、一つの表現が正解とは限りません。ですからどのベネフィットがユーザーに刺さるのかを検証し比較していくことが重要です。

　商品がターゲットのどんな悩みを解決するのか、生活にどういった変化をもたらすのかをイメージしながら、ベネフィットをできるだけ具体的にPR投稿に盛り込んでいきます。

　ハッシュタグの選定においても**悩みやベネフィットは強く意識すべき**です。例えば栄養ドリンクであれば単に「#栄養ドリンク」や商品名だけでなく、「#疲れが取れる」といったベネフィットとともに「#だるい」「#朝しんどい」といった悩みも盛り込むことで、当該の悩みを抱えているユーザーとのマッチングの可能性が高まります。

▶ ユーザーの心のメカニズムを理解する

また投稿には心理学観点からのアプローチも有効です。人間の行動や思考の背景を理解し、より効果的な投稿を目指しましょう。

投稿で使える心理学6選

① ザイオンス効果　　　④ オノマトペ効果

② バンドワゴン効果　　⑤ ウィンザー効果

③ カリギュラ効果　　　⑥ 損失回避効果

---

①ザイオンス効果

接触回数が増えることで、好感度や評価が高まる心理効果

Instagramでの活用方法

・投稿に一貫性をもたせる

・PR投稿を複数回投稿する

・毎日同じ時間にストーリーズやフィードを更新する

・トンマナを統一する

---

②バンドワゴン効果

周囲と同様の選択をしてしまう心理効果

Instagramでの活用方法

・多くの人が使っているというニュアンスを入れる

・「みんなが持っている○○！」

・「10万人のフォロワーが選んだアイテムはコレ」

・「20代女性の9割が愛用している」

---

③カリギュラ効果

制限されることで、逆に興味が湧く心理効果

> **Instagramでの活用方法**
> ・見るな・教えたくない・ダメなど禁止の文言を入れる
> ・「本当は知られたくないお得情報」
> ・「誰にも教えたくない○○の話」
> ・「閲覧注意！」

④オノマトペ効果

「もちもち」「つやつや」など擬態語や擬音語を用いて印象づける
心理効果

> **Instagramでの活用方法**
> ・ストーリーズやフィードで商品の魅力を伝える際に使用する

⑤ウィンザー効果

同様の情報であっても利害関係のない第三者が発言することで信
頼度が高まる心理効果

> **Instagramでの活用方法**
> ・ほかのユーザーの意見を紹介する
> ・実際に購入した人の声を掲載する

⑥損失回避効果

利益よりも損することを避ける心理効果

> **Instagramでの活用方法**
> ・損を回避するための情報を記載する
> ・「○○しないための方法」
> ・「失敗している人がやっていること」

PART 1
PART 2
STEP 1
STEP 2
STEP 3
STEP 4
STEP 5
STEP 6
STEP 7
PART 3

▶ アプローチを変えて検証を行う

　PR投稿をしたのにまったく売れなかったからといって、1回の判断でその商品PRをやめるのはご法度です。売れない原因としては商品そのものが悪いのではなく、<u>PR投稿の内容、特にベネフィットの描き方やハッシュタグの付け方に問題がある</u>可能性が考えられます。さまざまなベネフィットでアプローチを行い、売れるPR投稿作成術を会得していく姿勢が大切です。

　いろいろな商品でPRを試すよりは、話題性と信憑性の高い1つの商品で、<u>多角的なアプローチからPR投稿をつくっていく</u>戦略が収益を増やす近道です。

　慣れないうちは同商品をPRする発信者をリサーチしたり、ベンチマークアカウントのPR投稿のデザインや訴求切り口を参考にしたりしましょう。

　ベネフィットのヒントを得るために、商品販売ページを参考にするのもいいと思います。販売ページから悩みや商品を通して得られる恩恵を見つけ、<u>必要な部分のスクリーンショットを撮って切り抜くことでPR投稿の素材として活用</u>できます。ただし、販売ページからの切り抜きは場合によってはNGのこともありますので、必ず確認してから投稿するようにすべきです。

　1つの商品からさまざまなベネフィットを想定し、ほかにない<u>オリジナルな視点と表現でアプローチ</u>していくことが大切です。

MEMO

アカウント運営者（紹介者側）がPRをする際は、広告表示が義務付けられています。

PRストーリーズやPR投稿は、商品紹介案件であることをユーザーに知らせる必要があります。ここまでで紹介した「タイアップ投稿ラベルを追加」をオンにする以外にも、以下の点に留意しておきましょう。

- ハッシュタグに「#PR」を設定し、先頭に置く
  （ハッシュタグに埋もれさせるのはNG）

- 表紙に「PR」の文字を入れる
  （小さく見えづらく入れるのはNG）

STEP 7 月30万円を達成するための＋α

▶ ちょっとの工夫が激変を生むことも

　ここまででメディアアカウントの設立から運用、そして収益化までの工程を説明しました。とはいえ説明のとおりにやっていけば誰もが必ず収益を出せるかというと、決してそうではありません。ジャンルによってはなかなかリーチやフォロワー数が伸びにくいものもありますし、不得意でついおろそかになってしまう作業があり、それがネックとなってなかなか伸びてこないこともあります。そういった壁にぶち当たって、アカウント運用から離れたくなってしまうこともあると思います。

　しかしそこで諦めてはいけません。ここまでの工程が正しくできているのであれば、インスタ副業が大きな収入の柱になってくれる日もすぐ目の前です。

　本当に、ちょっとした工夫をするだけで、アカウントの評価が高まったり、バズが起きたりすることは、よくあることです。収益化までの道が一気に縮まり、あっという間に月収が本業の収入を超えてしまうこともあるのです。

　アフィリエイトで成功するためには、そのちょっとした工夫に気づくことと実践することが必要です。そういった工夫のヒントは決して特別なことではなく、身近にある当たり前のことであることが多いのです。

PART 2

STEP 1

STEP 2

STEP 3

STEP 4

STEP 5

STEP 6

STEP 7

PART 3

▶ 価値観の共有でファン化を促す

　人は共感したり身近に感じたりする要素があると、相手との心の距離を自然と近づけるようになります。メディアアカウント運用においても、価値観や日常を発信することで、属人性を高めることにつながり、ファンを増やすことになります。

　常日頃から運用者の本音や価値観を共有しておくことで、共感を得たフォロワーのファン化が促進され、マネタイズの幅を広げる大きなカギとなります。

価値観や日常を発信する例

▲日常を切り取った投稿にすることでフォロワーの共感を得られやすくなる

またフォロワーが親近感を抱ける要素を盛り込むことで、ユーザーとの距離を縮め、より反応率を高めていくことができます。

　具体的な施策としては日常を演出した投稿を入れることです。主としてストーリーズにて、フォロワーに向けての投稿になります。

　ポイントは自分自身の日常生活に関わることを発信していくことです。自身の顔を投稿内に出せるとキャラクターが立ちベストですが、無理をしてまで露出する必要はありません。

　例えば手元だとか、室内の一部を投稿の中に映すだけでも、日常感は演出されます。アカウントの中の人はどんな人なのか、その片鱗を日々のストーリーズの中で見せることで、ユーザーのファン化を促すことができます。

　ストーリーズなので内容自体もジャンルにとらわれる必要はなく、ありふれたものでも問題ありません。日々の作業の裏側を見せる内容や、最近夢中になっている食べ物を紹介するとか、新しい傘を買ったとか、近しい人とする日常会話のような投稿にすればネタ切れすることもないでしょう。

　さらにその投稿にアンケートや質問ボックスも付けることで、リアクションがもらえてよりInstagramの評価も高まっていきます。

PART 1

PART 2

STEP 1

STEP 2

STEP 3

STEP 4

STEP 5

STEP 6

STEP 7

PART 3

▶ DMに誘導する

DM（ダイレクトメッセージ）でのユーザーとの接触も親密度として Instagram に評価されます。

　ストーリーズを投稿する際は DM へと促す施策を加えることで、より効果を高めることができます。

DMに誘導する

共通の話題だと
フォロワーが答えやすい

見てほしい文章は
フォントや色を変える

直接教えてもらえる
特別感

背景を
ストーリーズの内容に
沿った写真にすることで
日常感が出る

敬語を使わないことで
親近感が湧く

絵文字を使うことで
親しみやすさを出す

答えやすいアンケート

スマホを右手で
触る人が多いので
スタンプは右下に置くと
反応されやすい

▶ やり取りしたらスクショして紹介する

　DMのやり取り履歴はスクリーンショットを撮り、相手に許可を取ったうえでストーリーズで紹介することで、フォロワーの行動喚起へとつなげることができます。「自分もDMしてみようかな」と思ってもらうことが狙いなので、ありふれた会話のやり取りであっても、DMが来たら積極的に発信していくことが大切です。

DMのやり取り

質問ボックスでの回答

　質問ボックスに届いた回答をストーリーズで報告するのもよいと思います。**ありふれた会話こそが結果的に親近感を増す**ことにつながります。DMを送ってくれた相手と友達のような関係を築き、<u>積極的な発信でDMを活用</u>していくことが、より大きな効果を生み出します。

▶ 興味付けしてから投稿のシェアをする

フィードやリール投稿を配信したら**必ずストーリーズでシェアする**、という方法は基本中の基本です。さらに応用編として、投稿に慣れてきた段階でプラスアルファとしてやっていきたいのが興味付け要素を加えたストーリーズのシェアです。

投稿へ促すシェアは１枚の画像だけではなかなかフォロワーの心を動かすことはできません。そこで複数枚の連結したストーリーズとして、アンケートなどを活用しながら興味を惹いて、<u>最後に投稿へ誘導する構成</u>にしましょう。

連結したストーリーズ

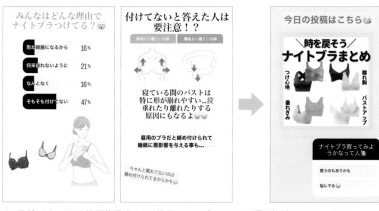

▲1枚絵にするよりも複数枚構成にして投稿へつなげることで反響が倍増することもある

177

このような興味付け要素を盛り込んだストーリーズにすることで、**反応やリーチ数が２倍以上**に伸びることもあります。

　ストーリーズにはユーザーの身近な人たちの投稿が並び、そのメンバーのなかでメディアアカウントも勝負をすることになります。交流が主目的のストーリーズですから、ユーザーは身近な人のほうを優先的にタップするわけで、どうしてもメディアアカウントは後回しにされがちです。

　ストーリーズではメディア感をあえて封じ、**身近な知り合いの投稿を見る延長のようなテイスト**の投稿を心がけていきます。

▶ 投稿時間を見直す

　決まった時間の投稿を心がけることで、フォロワーがその時間を楽しみにしてアカウントを訪れてくれます。一般的には**18時から21時の間がアクティブユーザーの多い時間帯**ですが、反応率の良し悪しはターゲットやジャンルによって異なります。

　時間別のフォロワーリーチ数は**インサイト機能**で確認することができます。思うようなリーチ数が稼げない際はさまざまな時間帯に投稿して検証し、最も反応のいい時間常に絞って投稿を継続していくようにします。

PART
1
PART
2
STEP
1
STEP
2
STEP
3
STEP
4
STEP
5
STEP
6
STEP
7
PART
3

▶ 誘導画像のバリエーションを増やす

　投稿の最後にはいいねや保存やプロフィールへのアクセスを促す誘導をしますが、常に同じ画像を使い回しするよりは、いくつかバリエーションを用意し、**投稿内容に応じて使い分ける**と反応効果が増します。

　ユーザーが投稿にたどり着くきっかけはさまざまです。例えば大阪グルメを紹介するメディアアカウントを運用していたとして、スイーツを紹介する投稿もあれば焼き肉店を紹介する投稿もあります。

誘導画像の例

　焼き肉の関連ワードで検索してたどり着いたユーザーには、過去の評価が高かった焼き肉の記事を折り込んだ誘導画像でアピールすべきですし、スイーツ目的のユーザーにはスイーツ記事をアピールしている誘導画像にしたほうが、プロフィールアクセス率は上昇し、フォロワー増加につながります。

　どんなユーザーがこの投稿を見てくれるのか、ユーザーイメージを膨らませながら、彼らにヒットする誘導画像をつくるのが得策です。

▶ キャンペーンを立案する

プレゼントキャンペーンなどのユーザーの関心を引く企画を実施することで、フォロワー増加や親密度向上が期待できます。事前に欲しいプレゼントのアンケートを取ることで、コミュニケーション促進にもつながり、より効果的です。

商品の準備や当選者選定、商品の発送など手間はかかるものの、非常に効果は高いです。余裕があれば実施してみるとよいと思います。

▶ PRではなくレビューをする

「フォロワーもたくさんついていて露出も多いのに、なかなか収益化が実現できない」。そんな悩みを抱えている場合、PR投稿に磨きをかけることで激変することがあります。

PR投稿とはいうものの、ただただ商品のいいところばかり紹介していてはありふれたつまらない広告で終わってしまい、購買意欲を高めることはできません。

リアルな情報をユーザーは求めているのですから、いいところも悪いところもぶっちゃけた内容にすべきです。そういうリアルな情報を提供しているところから購入するのがユーザーの行動心理というものです。

ですからできる限り**レビュー感のある投稿**にすべきです。商品によってはASPからサンプルを送ってもらえることもあるので、実際に使ってみるとよりリアルで説得力のあるレビューが書けます。値段の張らない商品であれば買って使用感を確認することも大切です。Amazonや楽天などの商品レビューを参考にするのもよいと思います。

▶ レビューのポイントは「自分の声」と「デメリット」

PR投稿作成時は、自分の声になっているよう意識し、**広告感は出さないよう心がける**ことが大事です。販売ページの言葉を切り抜いただけの投稿にはならないように注意することが必要です。

時には**デメリットを入れることも大事**で、その**デメリットをどうやって消すかの提案**もしていけると、体験談に基づいた質の高いレビューとなり、ユーザーの反応を高めることができます。

PART 1
PART 2
STEP 1
STEP 2
STEP 3
STEP 4
STEP 5
STEP 6
STEP 7
PART 3

PR感満載の投稿

PR感満載の投稿だとなかなか最後まで読んでもらえず、成約へとつながらない

自分目線のレビュー

生の声を盛り込んだ自分目線のレビューにすることで、ユーザーの反応が一気に高まる

PART 1

PART 2

STEP 1

STEP 2

STEP 3

STEP 4

STEP 5

STEP 6

STEP 7

PART 3

▶ あえて「答え合わせをしない」表紙にする

表紙のインパクトはタップしてもらえるかどうかを大きく左右します。

インパクトといっても、「これ、すごいんです」「めっちゃ掃除がはかどる」「使ったら美人って言われた」といった、ポジティブワードが並んでいるだけだと、あまたの投稿群に埋もれてしまいがちです。答えを表紙で先に出してしまうと、いわば投稿内容のネタバレをしているようなもので、ユーザーに素通りされてしまう可能性が高いです。

そこで、**あえて答えを書かない表紙**をつくってみます。「何があった?」「どんな内容なんだろう?」と思わずタップしてしまう表紙にすることで、反応率を上げることができます。

あえて答えを書かない表紙

▲あえてネガティブにしたり、答えを書かなかったり、思わずタップしたくなる表紙にする

YouTubeのサムネイルやニュースサイトの記事タイトルでも、結論が書かれていないネガティブ寄りのコンテンツが注目を浴びます。Instagramにとどまらず、さまざまなメディアを参考にして、引きのあるワードをストックしていくことが大切です。

▶ コミュニティに入って仲間を見つけスキルを磨く

現状で抱えている課題をどのように打破していけばいいのか分からない。そういうときは「同業者」に相談するのもいいと思います。Instagramでメディアアカウントを運用している人たちのコミュニティに仲間入りし、情報を交換しノウハウの更新を行うことで、現状打破の糸口となります。

既存のコミュニティに入るのもいいと思いますし、メディアを運用していくなかで知り合った人たちと新しく設立するのもいいでしょう。

コミュニティにもいろいろあり、単に仲間同士で交流する程度のものもあれば、運営母体があり運用に関する相談やサポートを受けられるものもあります。後者の場合は有料のコミュニティが多く、セミナーや勉強会と題してスキルを磨く機会が設けられていることもあります。

PART
1

PART
2

STEP
1

STEP
2

STEP
3

STEP
4

STEP
5

STEP
6

STEP
7

PART
3

　有料のコミュニティはノウハウが蓄積できたり、効果的な広告案件情報をもらえたりするなど、運用と収益化を一気に加速させるだけの有益な見返りが期待できます。

　しかし一方で、想定していたほどの効果が得られない可能性も考えられます。懇切丁寧な勧誘を受けて会費を払い入会したところ、急にサポートがなおざりとなり、まったくスキルを磨けない。そんな残念なコミュニティも実在している点は、業界の闇の部分であり、運営団体を営む身としても由々しき事態だと切実に感じています。なんとかこういったコミュニティに引っかからないよう、事前に慎重な吟味と検討を重ねてほしいと願っています。

　危険なコミュニティの見分け方としては、一人の実績だけをアピール材料にして、<u>セミナーやコンサルティングを実施しているところは要警戒</u>です。こういったコミュニティは唯一の成功体験だけで展開しているので、ノウハウがアップデートされていない可能性が高く、学びを実践してもまったく結果が出ないこともしばしばあります。有料のコミュニティに入るのであれば、<u>必ず実績者を複数輩出し続けているところを選ぶべき</u>です。

S
T
E
P
7
　
7
つ
の
S
T
E
P
を
踏
め
ば
誰
で
も
稼
げ
る

STEP7　月30万円を達成するための＋α

実
践
！
イ
ン
ス
タ
副
業

PART 3

努力と工夫次第では
月100万円以上も
夢じゃない

自身のファンを増やし続け、
インスタ副業を成功させる

▶ 続けていく難しさ

アフィリエイトで稼ぐ方法論としては、一連の流れを実直にやり抜ければ、誰でもInstagramでフォロワーを増やし、収益を得るまでに至ることができます。

問題となってくるのは精神論で、実直にやり続けていくことの難しさです。好きなジャンル、続けられそうなコンセプトからスタートするので、**精神的な苦痛を軽減させつつ運用できる**のがメディアアカウントの強みではあります。しかし運用序盤は成果が数字として出にくく、どうしても気持ちが折れやすくなってしまいます。

マイナスな気持ちに負けず継続していくための第一のコツは、**結果を気にしすぎない**ことです。リーチ数が想定より少なくても、フォロワー数が伸び悩んでも、気落ちしないで、**次へと気持ちを切り替えていくクセを身につける**ことで、成果が出るまでの道のりは自然と近くなっていきます。

ずっと成果が出続けないのは問題ですが、PART 2のSTEP 5で紹介した指標を頼りに改善すれば、自ずと結果はついてきます。まずはこれらの指標だけを直視して、より良い数字になるための施策を心がけていくべきです。

「これは伸びる」と自信を持って発信した渾身の投稿がまったく跳ねなかったとしてもへこまないようにします。たまたま投稿のタイミングが悪くて伸びなかったというケースも十分に考えられます。日を空けて違う時間に同じものを投稿したらバズる、なんてことも

PART 1
PART 2
STEP 1
STEP 2
STEP 3
STEP 4
STEP 5
STEP 6
STEP 7
PART 3

あるのがInstagramです。いろいろ工夫して、過程を楽しみながら
投稿を続けていくことが大事です。

▶ 継続しやすいコンセプトとは

　序盤の継続力を大きく左右するのが**コンセプト**です。情報収集自
体が楽しいジャンルや、投稿が楽しくなる切り口などを設定するこ
とで、続けていく源となってくれます。

　好きでやっているのか、義務感や仕事感満載で更新しているのか、
作り手の内面はコンテンツの雰囲気からユーザーにも伝わってしま
います。楽しみながら続けていれば、「自分も楽しみたい」「共感で
きる」「応援したくなる」という気持ちをユーザーに芽生えさせ、
自然とファンもつきやすいものです。

　好きなことを継続していければ、投稿露出の打率が上がっていき、
どこかで大成功をつかめるものです。これはたくさんのアカウント
をサポートしてきた身として確信をもって断言できます。

　好きや得意という感情だけではなかなか続かない。そういうとき
は、少し視点を変えて、強い目標があるから継続できる、といった
コンセプト設定も効果的です。

▶ 大規模コミュニティに入る利点

　継続力の観点では、一緒に切磋琢磨していける仲間も貴重な存在です。**コミュニティに入っておく**ことは情報交換やノウハウ蓄積などメリットがめじろ押しで、**モチベーションを高く維持**していくうえでも重宝します。

　より大きな見返りを期待するのであれば、実績者が多数在籍している大規模なコミュニティに入るべきだと思います。

　大規模コミュニティの利点としては、まずトレンドに乗り遅れずに済むことが挙げられます。所属人数の多いコミュニティは多量のデータを蓄積し、どういったアクションでどのような結果が得られ

大規模コミュティに期待できること

膨大なデータに基づいた解決策

手厚いサポート

コミュニティ内限定案件

作業効率を上げる専用ツール

PART
1

PART
2

STEP
1

STEP
2

STEP
3

STEP
4

STEP
5

STEP
6

STEP
7

PART
3

るのか、検証結果をたくさん持っています。Instagramのトレンド
は常に動いていますし、仕様自体も刻々と変化しています。今どう
いったジャンルが求められているのか、どんな運用がInstagramの
仕様的に好ましいのか、確かな根拠に基づいたアドバイスが受けら
れるのは大規模コミュニティならではの特長です。

　規模が大きいと運営側の人間も多い傾向にあるので、親身になっ
て相談に乗ってもらえる点も心強いです。初心者から、すでに成果
を出しているベテランインスタグラマーまで、幅広い仲間たちがい
て経験知が蓄積されているので、それぞれの状況や課題に応じた適
切な解決策が得られるのも強みとなります。

　これら数の利を最大活用し、収益化までの最短ルートを歩んでい
けるのは、大規模コミュニティならではといえます。

　コミュニティでは、その組織内だけで回している限定案件という
ものもあったりします。しかもそのような案件は成約率が高く、
Instagramのトレンドにも乗りやすく、稼ぎやすい傾向にあります。
こういった収益性の高い案件は、規模の大きいコミュニティほど出
合える可能性が高いです。

　コミュニティによっては専用のツールを持っていて、日々の作業
の効率化に一役買ってくれます。小さなコミュニティでもそういっ
たツールを用意していることもあるでしょうが、少人数で使ってい
るがゆえに、使いにくさや粗が目立ちがちです。大きなコミュニティ
ならツールを利用するユーザーが多く改修を重ねているため、クオ
リティと利便性の高いツールになっている期待が持てます。

▶ アフィリエイトで稼ぐことがゴールではない

アフィリエイトは、ユーザーがPR投稿を介して販売ページに飛び、商品やサービスを購入することで報酬発生、メディアアカウントの収益となる案件が大半を占めます。

しかしこれとは別に、PR投稿をするだけで報酬発生となる「固定PR案件」と呼ばれるものもあります。商材を扱う企業からの直接オファーや、広告代理店を介して、DMで依頼されるケースが一般的です。

例えば美容の情報を発信し続けてフォロワーを増やしていると、化粧品メーカーから依頼が来ます。グルメを紹介するアカウントであれば店舗から直接DMで来店の依頼をもらうといった経緯で固定PR案件は発生します。

固定PR案件

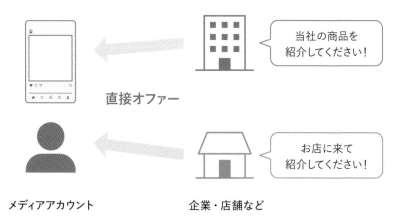

当社の商品を
紹介してください!

直接オファー

お店に来て
紹介してください!

メディアアカウント　　　　　企業・店舗など

報酬の条件としては、**1フォロワーあたり○円**という提示が一般的です。1フォロワーあたり2円であれば、フォロワーが1万人いる場合、PR投稿をするだけで2万円の報酬となります。**固定PR案件はテレビのスポンサーに近い位置付け**で、依頼が定期的に来るようになると、収益が一気に増え安定して高収入を得られるようになります。投稿しただけで報酬が確定するというのは非常に魅力的です。

　アフィリエイト以外の稼ぎ方としてほかに**コンテンツ**販売があります。

　コンテンツ販売は、自分の知識や経験を商品やサービスに変換し、それを販売することです。例えば、エクセル初心者向けのお役立ちノウハウを発信していたアカウントでは、初心者向けエクセル講座をパッケージ化し、販売しています。

　コンテンツ販売のメリットは、何よりも販売価格を自由に設定することができることです。自分でテーマを決めて作成し、フィードやリール、ストーリーズで商品を紹介し、ECサイト等で販売できるので自由度の高さも魅力の一つです。

　ですが、コンテンツを作成する際は、ユーザーの立場に立って発信アカウントのターゲットの悩みやニーズを理解することが何よりも重要です。自分のコンテンツでユーザーの悩みを解決できるよう意識しながら作成しましょう。

　自分の得意なことを発信し続けて、さらにそれに磨きをかけてコンテンツとして販売し収益を加速させます。これもメディアアカウント運用の先に待つ魅力的な収益化方法の一つです。

PART 1
PART 2
STEP 1
STEP 2
STEP 3
STEP 4
STEP 5
STEP 6
STEP 7
PART 3
努力と工夫次第では月100万円以上も夢じゃない
自身のファンを増やし続け、インスタ副業を成功させる

本書では収益化の手段としてアフィリエイトについて主に解説しましたが、これは一種の成功体験づくりにすぎません。稼いだ額うんぬんよりも、「<u>こうやって稼げばいいのか</u>」という手応えと自信をつかんでもらうのが最大の目的です。

　アフィリエイトで力をつけたその先には、さまざまな稼ぎ方を見据えることができます。それを考えることが次のステップにつながります。

コンテンツ販売の流れ

① コンテンツを作成

② 販売導線を構築 (フィード、リール、ストーリーズで商品を紹介)

③ コンテンツを販売

　Instagram の運用では、自分の好きな分野で本業の収入を超えることも夢ではありません。最後にインスタ副業を成功させた実際のアカウントを紹介します。自身の興味のあるジャンルのアカウントを参考に、一緒に月30万を稼ぐインスタ副業を始めてみましょう。

実例

インスタ副業を成功させた
26の実例

さき姉さん｜ゆる家事でととのう暮らし術

アカウントの運用を開始してから約3カ月でフォロワー1万人を達成し、半年後にはフォロワー3.4万人達成。100万回再生以上のバズリールを多数生み出すことに成功し、最大480万再生を記録。

フォロワー数

3.4 万人

ジャンル

暮らし

ターゲット

ママ、主婦

キーワード

・ゆる家事

・ラク家事

・便利な暮らし

・ととのう暮らし術

・裏ワザ

・簡単ライフハック

sakinee_kurashi

122 件の投稿　3.4万 人のフォロワー　30 人をフォロー中

さき姉さん｜ゆる家事でととのう暮らし術
＼ラク家事でおうち時間にゆとりを／
◇.°知ってると便利な暮らしの知恵＆裏ワザ＋...:*
◇.°マネしたくなる簡単ラク家事&アイテム*°+。
◇.°「これイイ！」だけ厳選してシェア♪

ストーリーズでは限定ネタ・NG集なども🙈☆
高1娘👧と浪人息子🧑と旦那と暮らすワーママ
🔗 room.rakuten.co.jp/sakine... 、他1件

フォロー　メッセージ

裏ワザ　節約部屋探し　楽天Room🏠　5way乾燥機　はちみつバ…

これ知ってる？厚手ニットを薄くたたむ裏ワザ
停電時に使える！ポリ袋15分でごはん炊ける
知らないと大損！お部屋探しの裏ワザ
いくつ知ってる？クリップの
マネしたくなる！ストローの
知らないと損！せいろナシ

実例▶ ACCOUNT 02

NERA(ネイラ)| 美容メディア

固定PR案件などを主軸にInstagram経由で月1000万円以上のマネタイズに成功。2024年3月には東京・銀座でネイルサロンを実店舗オープン。

フォロワー数

11.3 万人

ジャンル

美容

ターゲット

美容に興味のある女性

キーワード

・美容メディア
・美容オタクOL
・毎日共有
・ネイルサロン
・パーソナルケア
・女磨き

実例 インスタ副業を成功させた26の実例

197

yuya | 年収1,000万パパの服と暮らし

ジャンル

暮らし（年収1,000万パパ）

半年で
フォロワー **1.5万人**

ターゲット

パパ

リール大バズリ

キーワード

・年収1000万

・節約パパ

・簡単オシャレ

・プチプラコーデ

・UNIQLO ／ GU

・ワークマン

つきとほし☆
日本No. 1の星野リゾートオタク夫婦

ジャンル

観光（星野リゾート特化）

フォロワー **9.4万人**

ターゲット

旅行好き

月 **200万円以上**

キーワード

・星野リゾート

・星野リゾートオタク夫婦

・旅行

・観光

・ホテル

・ランキング

実例▶ ACCOUNT **05**

べびらぶ 👶 こどもごはん

ジャンル

レシピ（子ども）

ターゲット

ママ、主婦

キーワード

・こどもごはん ・栄養満点

・幼児向けごはん ・爆食いレシピ

・10分 ・管理栄養士ママ

フォロワー 3.6 万人

400万回再生

実例▶ ACCOUNT **06**

@みえたび｜三重デート

ジャンル

観光（三重）

ターゲット

カップル

キーワード

・三重 ・グルメ

・三重デート ・デート専用

・絶景 ・大切な人

フォロワー 2.4 万人

みさこママ | 旬の食材で高見えレシピ

ジャンル

レシピ（旬の食材）

ターゲット

ママ、主婦

キーワード

・旬の食材　　　　・褒めらレシピ
・簡単　　　　　　・家ごはん
・高見えレシピ　　・おしゃれごはん

9 カ月で
フォロワー 4.3 万人

リール大バズリ

しぃ〻3世帯住宅で暮らすズボラママ

ジャンル

暮らし

ターゲット

ママ

キーワード

・3世帯住宅　　　・暮らし
・ズボラママ　　　・育児
・ホテルライク　　・家づくり

19投稿で
フォロワー 2 万人

リール大バズリ

みお｜子どもとランチ 埼玉群馬

ジャンル

おでかけ

フォロワー 3.3 万人

ターゲット

ママ

固定PRで
月30万円以上

キーワード

・子どもランチ
・子連れグルメ&スポット
・女子会

・夫婦デート
・埼玉／群馬
・産後ダイエット

ゆー｜100均でずる賢い部屋作り

ジャンル

100均家作り

22投稿で
フォロワー 8.9 万人

ターゲット

社会人

キーワード

・100均
・100均術
・ずる賢い部屋作り

・快適な暮らし
・暮らし
・垢ぬけ○○

ゆー 🐻 │
千葉グルメ・お出かけスポット紹介

ジャンル

観光(千葉)

半年で
フォロワー 3.3 万人

ターゲット

30 ～ 40代のカップル、夫婦

固定PRで
月 5 万~10万円

キーワード

・千葉　　　　　　　　　・千葉オタク

・千葉グルメ　　　　　　・観光

・千葉お出かけスポット　・お出かけ

あみれお │ 東海の旅行やデートはお任せ！

ジャンル

観光(東海)

フォロワー 4.2 万人

ターゲット

カップル

固定PRで
月 100万円以上

キーワード

・東海　　　　　　　・定番

・東海旅行　　　　　・最新スポット

・東海デート　　　　・カップル

ゆう　管理栄養士 ⟩
時短離乳食で自分時間を作る

ジャンル

レシピ（離乳食）

フォロワー 6.5 万人

ターゲット

ママ

アフィリエイトで
月 5 万~10万円

キーワード

- ・時短離乳食
- ・管理栄養士
- ・自分磨き
- ・スキンケア
- ・ストレッチ
- ・短時間

パト家│1分動画でわかるお金の知識

ジャンル

お金

33投稿で
フォロワー 1.7万人

ターゲット

20 ～ 30代夫婦

キーワード

- ・投資
- ・投資デビュー
- ・お金
- ・知識ゼロ
- ・1分動画
- ・資産運用

実例 インスタ副業を成功させた26の実例

Yuki |
女子会カフェ＆レストラン【東京・神奈川】

ジャンル

カフェ

フォロワー 4.2 万人

ターゲット

20 ～ 30代女性

アフィリエイト・固定PR案件で
月 50 万円以上

キーワード

・東京／神奈川　　・グルメ

・女子会カフェ　　・レストラン

・女子会　　　　　・お店選び

ゆうこ | 健康・無添加の優しい暮らし

ジャンル

無添加

1年で
フォロワー 4.7 万人

ターゲット

無添加やオーガニックに
興味がある人

自動生成AIで
リールを作成

キーワード

・健康　　　　・オーガニック

・無添加　　　・優しい暮らし

・無添加オタク　・食

あや｜
🌾発酵調味料 × 野菜｜仕込10分レシピ

ジャンル

レシピ（麹）

40投稿で
フォロワー 2.8 万人

ターゲット

健康に興味があるOL

キーワード

・麹　　　　　　　・レシピ

・発酵調味料　　　・腸活おつまみ

・仕込み10分　　　・腸活

ゆうのおうちごはん🍴
【献立　お弁当レシピ】

ジャンル

レシピ（お弁当）

フォロワー 3.1 万人

平均再生回数を
底上げ

ターゲット

ママ、主婦

キーワード

・おうちごはん　　・お弁当レシピ

・献立　　　　　　・30分で作れる

・簡単お弁当　　　・時短アイテム

ひろろ／ライフスタイルコーチ

ジャンル

自己啓発

60投稿で
フォロワー2.2万人

ターゲット

身体や心の健康に興味がある人

キーワード

・ライフコーチ　　・身体の健康

・自己啓発　　　　・心の健康

・自己肯定感　　　・名言

ももみ｜楽うま褒められレシピ

ジャンル

レシピ

60投稿で
フォロワー2万人

ターゲット

主婦

400万回再生

キーワード

・楽うま　　　　　・ヘルシーレシピ

・褒められレシピ　・ダイエット

・簡単レシピ　　　・腸活

実例▶ ACCOUNT **21**

心理学×脳科学 ➡
自信研究家🐱 しんのすけママ

ジャンル

心理学

フォロワー6.6万人

ターゲット

心理学に興味がある人

アフィリエイト・固定PR案件で
月30万~50万円

キーワード

- ・心理学
- ・脳科学
- ・自信研修家

- ・モチベ
- ・楽に生きる
- ・自由

実例▶ ACCOUNT **22**

まろん🐱ズボラ主婦でも快適な暮らし🌿

ジャンル

暮らし

5カ月で
フォロワー3.2万人

ターゲット

主婦

アフィリエイト・固定PR案件で
月5万~10万円

キーワード

- ・ズボラ主婦
- ・そうじ術
- ・らく家事

- ・自分磨き
- ・夫婦円満
- ・家づくり

実例
インスタ副業を成功させた26の実例

はるかいキャンプ 👫 /インスタで1番わかりやすいキャンプ場紹介 ⛺

ジャンル

キャンプ

フォロワー 1.7 万人

ターゲット

キャンプに興味がある人

アフィリエイト・PR投稿で
月 50 万円以上

キーワード

- ・関東／山梨／静岡
- ・キャンプ
- ・キャンプ場
- ・アウトドア
- ・トイレ
- ・穴場

おしゃれ旅行ナビ ✈ 国内の厳選映え旅情報

ジャンル

観光

フォロワー 3.6 万人

ターゲット

旅行、映えスポットが
好き

アフィリエイト・PR投稿で
月 50 万円以上

キーワード

- ・おしゃれ旅行
- ・国内旅行
- ・映えスポット
- ・映えホテル
- ・47都道府県制覇
- ・コスパ重視

ぼくすけ｜
固定費削減×新NISAで『爆速』資産形成

ジャンル

お金

▶ 1000万回再生

ターゲット

資産形成に興味がある人

¥ アフィリエイトで月30万円以上

キーワード

・お金の不安　　　・新NISA

・節約術　　　　　・固定費削減

・ほったらかし　　・資産形成

りょう｜事務職のExcel講座

ジャンル

エクセル

フォロワー12.8万人

ターゲット

業務効率を上げたい人

¥ コンテンツ販売で月450万円以上

キーワード

・事務職　　　　　・印刷テク

・Excel　　　　　・ショートカットキー

・完全攻略　　　　・ショトカ早見表

実例は2024年2月時点の情報です。

おわりに

　メディアアカウント運用を軌道に乗せる秘訣は店舗経営と同じです。自分が熱中できるジャンルで挑戦することでモチベーションを高く維持でき、こつこつとフォロワーを増やしていけ、時には投稿が跳ねて一気に注目度が高まることもあります。

　とはいえ、自分のやりたいことだけをなりふり構わずやっていても、収益化は期待できません。ターゲットのニーズを拾い上げて、アカウントという名のお店を訪れた人にどういった価値を提供すればいいのかを、時代やトレンドに合わせて、常日頃からとことん突き詰めておく必要があります。

　成果が出てきたとしても、決して油断はせず、真摯に、周りに耳を傾けることを忘れてはいけません。Instagramは発信者と受信者、相互のコミュニケーションを円滑にするさまざまな機能が備わっています。これらを駆使して、ユーザーの望むものを発信し続けられるアカウントを育てていってほしいと思います。

　一方で、店舗経営との違いもたくさんあります。まずなんといっても維持費がほとんどかからないことです。店舗を構える必要はないですし、情報の収集と発信がメインなので仕入れもほぼありません。作業はおおむねInstagram内で完結しますし、外部ツールを使うとしても基本無料で事足ります。従業員を雇う必要はなく、一人でも十分にやれます。

　最低限のコストで無理なく始められ、スピーディーに成果が出

せるのがインスタ副業です。私が運営に携わるインスタ副業の学校「バズカレッジ」も、設立から短期間で収益化を成し遂げたインスタグラマーを、多数輩出することができています。立ち上げのサポートに始まり、アカウント運用時の課題解決、そして収益化まで、あらゆるプロセスで教え子たちに寄り添い、新しい扉を開くお手伝いをしています。そのなかで培ってきた数々の経験と知見を凝縮し、バズカレッジ以外の方にもインスタ副業のノウハウを届けたいと感じたことから、今回、本書を執筆しました。

　本書で紹介したノウハウにプラスして、自分独自のエッセンスを盛り込むことで、さらに唯一無二なメディアアカウントを創出することができます。ここまで到達すればもう無敵、長きにわたって安定的な収入をもたらしてくれるインスタ副業となるはずです。その先には本業として、Instagramだけで十分な暮らしが約束される未来が訪れても、なんら不思議ではありません。

　私はこれからもよりたくさんのインスタ副業の成功者を輩出し、実績を積み重ねていきます。そしてアップデートされたノウハウを、こういった形でまたたくさんの方に触れてもらえる機会を設けていくつもりです。

　最後にもう一度、Instagramのミッションを思い出してください。
「大切な人や大好きなことと、あなたを近づける」

　この本をきっかけにインスタ副業を始めて、思い描く理想のストーリーとの距離をぎゅっと近づけられる人が続出することを願って、執筆を終えます。ありがとうございました。

〈著者紹介〉
溝口優也（みぞぐち ゆうや）

▲公式LINE

1994年神奈川県綾瀬市生まれ。学生時代から起業意欲があり、大手携帯電話会社に就職すると同時に物販の副業をスタートさせる。順調に副収入を得ていき、2017年には副業で稼いだ資金を元手に会社を設立。

アパレル事業として立ち上げたアクセサリーブランドは、SNSでのマーケティングにより認知拡大に成功。2019年には会社と事業をバイアウトし、Instagramマーケティングコミュニティ・コンサルティングサービス事業である「バズカレッジ」を立ち上げるために株式会社アクティブを設立、同社の代表取締役社長に就任。

本書についての
ご意見・ご感想はコチラ

１日１時間！ 月30万円稼ぐインスタ副業

2024 年 4 月 19 日　第 1 刷発行

著　者　　　溝口優也
発行人　　　久保田貴幸

発行元　　　株式会社 幻冬舎メディアコンサルティング
　　　　　　〒151-0051　東京都渋谷区千駄ヶ谷4-9-7
　　　　　　電話　03-5411-6440（編集）

発売元　　　株式会社 幻冬舎
　　　　　　〒151-0051　東京都渋谷区千駄ヶ谷4-9-7
　　　　　　電話　03-5411-6222（営業）

印刷・製本　中央精版印刷株式会社
装　丁　　　秋庭祐貴

検印廃止
©YUYA MIZOGUCHI, GENTOSHA MEDIA CONSULTING 2024
Printed in Japan
ISBN 978-4-344-94783-2 C0034
幻冬舎メディアコンサルティングＨＰ
https://www.gentosha-mc.com/